伍迪艾倫幽默故事集 I

GETTING EVEN

扯平

伍迪艾倫——著

李伯宏——譯

目錄

施密特回憶錄 5
梅特林的洗衣單 15
有組織犯罪初探 29
我的哲學 39
三明治伯爵小傳 47
春季招生簡章 55
哈西德教派小故事以及知名學者解析 63
戈西奇—瓦德揚往來書信 73
胖子手記 85

回憶二十年代 93
德古拉伯爵 101
麻煩請大聲點 111
亥姆霍茲對話錄 121
瓦加斯萬歲！ 133
仿冒墨跡的發明與功用 145
大人物先生 149
推薦文
一切從一個笑話開始／張碩修 169

施密特回憶錄
The Schmeed Memoirs

關於第三帝國的文獻似乎歷久不衰，不曾減少，像是弗雷德里希·施密特的回憶錄就即將出版。施密特，這位德國戰時最著名的理髮師，曾經為希特勒、許多政府高官及軍隊將領剃頭理髮。在紐倫堡審判期間，人們注意到施密特不僅總是出現在正確的地點、正確的時間，而且還擁有「超乎全部的記憶」，因此，正是撰寫納粹德國最高層第一手資料的最佳人選。以下是回憶錄節選：

一九四〇年春，一輛大型賓士停在柯尼斯大街一二七號我的理髮店門前，希特勒走進理髮店。「我只要稍微剪一剪，」他說，「頭頂不要剪太多。」我對他解釋說要稍等一會，因為馮・里賓特洛甫排在他前面。希特勒說有急事，問里賓特洛甫能否挪到他後面。里賓特洛甫不同意，非說如果把他擠到後面，他的外交部長就當得太沒面子了。希特勒馬上打了通電話，里賓特洛甫隨即被調到了非洲軍團。希特勒如願理了髮。這類爭鬥總是不斷。有一次戈林羅織罪名，讓警察把海德里希抓走，為的是坐到靠窗的椅子。戈林是個荒唐的人，總是要坐在木馬上剪髮。納粹最高指揮部對此感到尷尬，卻束手無策。一天，赫斯衝著他說：「今天我要坐木馬，元帥先生。」

「不可能，我已經預約了，」戈林反駁說。

「我有元首的直接命令，上面說我可以坐木馬理髮。」赫斯拿出一份希特勒的信件證明，戈林當即臉色鐵青。他永遠不能原諒赫斯。他還說，以後他要讓夫人在家裡拿一隻碗扣在他頭上，給他理髮。希特勒聽了哈哈大笑，但是戈林可是來真的，要不是軍械部長駁回他的理髮刀申請，他真的要回家理髮了。

人們問我是否意識到我的工作牽扯了道德問題。我在紐倫堡法庭上說，我不知道希特勒是個納粹分子。多年來我一直以為他在電話公司上班。等我終於發現他是個大惡魔為時已晚，我已經為家具付了頭款。戰爭快結束時，有一次我確實想過把元帥脖子上的圍巾放鬆一點，讓頭髮掉進他後背，可是我在最後一刻臨陣退縮了。

一天，在貝希特斯加登[1]，希特勒轉過身對我說，「我留個鬢角如何？」史佩爾笑了起來。希特勒不高興了。「我是說真的，史佩爾先生。」希特勒說：「我想，我留鬢角可能滿好看。」戈林這個善於巴結

1貝希特斯加登（Berchtesgaden）：位於德國東南部的阿爾卑斯山區，希特勒的知名別墅「鷹巢」所在地。

的小丑馬上順著說：「元首留鬢角，太妙了！」史佩爾還是不同意。實際上，只他一人尚有良知，告訴元帥何時需要理髮。史佩爾說道：「太招搖了。我覺得鬢角比較像是邱吉爾的玩意兒。」希特勒冒火了。他想知道，邱吉爾是否在考慮留鬢角；如果是，要留一邊還是兩邊，何時開始留？希姆萊負責情報工作，於是他立即被召來了。戈林對史佩爾的態度很氣惱，他悄聲說：「你為什麼要無風起浪？他想要鬢角，就讓他留鬢角啊。」史佩爾通常行事圓滑老練，這次卻稱戈林是個偽君子，是「德國軍人中的一塊軟豆腐」。戈林誓言報復。後來聽說他指使黨衛軍將史佩爾的床炸成薯條。

希姆萊慌慌張張地趕來。他接到電話時正在學踢踏舞。他擔心被召來是因為將上千頂派對帽送錯地方，那批帽子本來是答應給隆美爾的冬季攻勢用的。（希姆萊不習慣應邀參加貝希特斯加登的餐會。他視力差，希特勒不願見到他把叉子湊到眼前，再把叉子上的食物抹在臉上的蠢樣。）希姆萊知道有事情出包了，因為希特勒喚他「矮子」，希特勒只有在冒火時才這麼叫他。元首突然轉身朝他喊道：「邱吉爾是要留鬢角嗎？」

希姆萊滿臉發紅。

「是嗎？」

希姆萊說傳聞邱吉爾是在考慮留鬢角，但這都不是正式的消息。至於鬢角的長短和留幾邊，他解釋說大概是兩邊都留，長短適中，但消息未證實前沒人敢打包票。希特勒吼叫起來，握著拳頭砸桌子。（這意味著戈林戰勝史佩爾。）希特勒展開一幅地圖，告訴我們他要切斷英國熱毛巾的供應。鄧尼茨封鎖達達尼爾海峽，就可以阻斷毛巾運上岸敷在急切等待的英國人的臉上。可是根本的問題依然是：希特勒能否在留鬢角上擊敗邱吉爾？希姆萊說，邱吉爾已經開始留，所以很難趕上他。戈林這個頭腦空空的樂觀派說，如果全德國同心協力，元首的鬢角可以長得更快。馮．倫德施泰特在總參謀部的一次會議上說，在兩面同時留鬢角是錯誤的，因此建議集中精力先留一面鬢角才明智。希特勒說他可以兩邊同時進行。隆美爾同意馮．倫德施泰特的建議。「元首，兩邊同時留是長不齊的，」他說，「更別說是急急忙忙地留。」希特勒很是惱怒，說這要由他自己和理髮師來決定。史佩爾保證刮鬍膏的生產在秋季能增加兩倍。希特勒聽了高興起來。到了一九四二年冬俄國發起反攻，鬢角一事便擱置一旁。希特勒感到垂頭喪氣，生怕邱吉爾很快就長出鬢角，神氣活現的，而自己的面目卻仍然「普普通通」。不過我們不久之後得到的消息說，邱吉爾覺得留鬢角花費太大，便放棄了。事實再次證明元首是英明正確的。

盟軍入侵後，希特勒的頭髮變得乾燥、亂蓬蓬。一部分原因是盟軍的勝利，另一部分原因是史佩爾建議他每天洗頭。古德林將軍聽了之後馬上從俄國前線趕回來，告訴元首每周用洗髮精不得超過三次。先前的兩次戰爭中，總參謀部的人員都遵循這一做法，很管用。希特勒再次駁回了將軍們的提議，堅持每天洗頭。鮑曼幫希特勒洗頭時似乎總是備好一把梳子，後來希特勒變得十分依賴鮑曼，在照鏡子之前會先讓鮑曼瞧瞧。隨著盟軍向東推進，希特勒的頭髮又乾又亂，變得更糟了，他常常發上好幾小時的脾氣，說是德國打勝仗後，要好好刮個臉理個髮，甚至還要上蠟油。我現在才明白，他從來不打算做這些事情。

有一天，赫斯拿走了元首的洗髮精搭機去了英國。德國最高指揮部大為光火，以為赫斯是要把洗髮精送給盟軍，好赦免自己。希特勒知道後尤其惱火，因為他剛沖完澡，正要洗頭。（赫斯後來在紐倫堡法庭上解釋說，他計劃給邱吉爾做一次頭皮護理，以結束戰爭。當他被逮捕時他已經把邱吉爾按在水盆上了。）

一九四四年底，戈林在上唇留起了鬍子，引起人們紛紛猜測他將取代希特勒。希特勒也發火斥責戈林要謀反。「帝國領導人中只能有一人留鬍子，那就是我！」他叫喊著。戈林爭辯說因為戰事不妙，兩人留小鬍子可能讓德國人民對戰爭抱有更強的希望，但是希特勒不以為然。一九四五年一月，幾位將領謀劃要趁希特勒睡覺時剃掉他的小鬍子，然後宣布鄧尼茨為新領袖，但潛入希特勒臥室的馮・史陶芬堡在漆黑中錯把元首的眉毛剃掉。隨即宣布進入緊急狀態，史佩爾突然闖進我的理髮店顫抖著說：「有人圖謀剃掉元首的鬍鬚，但他們失敗了。」史佩爾要我到電台向德國人民發表演說。我去了電台，幾乎沒有講稿。我向德國人民宣布：「元首安然無恙。他的鬍鬚依然留著。重複一遍：元首的鬍鬚還在。企圖剃掉元首鬍鬚的陰謀破產了。」

戰爭快結束時，我來到希特勒的地堡。盟軍正在逼近柏林，希特勒覺得如果俄國人先開進柏林，他就需要徹底理一次髮；若是美國人先到，那他稍微修剪一下即可。眾人爭吵不休，期間，鮑曼要求刮臉，我答應他我將按設計圖修剪。希特勒心事重重，更加孤僻。他說要把頭髮前後分邊，然後宣稱電動剃刀的開發將幫助德國扭轉戰局。「屆時我們數秒鐘就能刮好鬍子，對吧，施密特？」他嘟囔著。他還提到其他匪夷所思的想法，說總有一天他的頭髮不僅僅是剪，還有造型。他像以往一樣沉湎於宏大氣派，發誓最終要留飛機頭。「整個世界都將為之顫抖，而且需要一名儀仗隊員專門梳理。」最後我們握了手，我為他理最後一次髮。他給了我一芬尼[2]的小費。「我本想多給一點，」他說，「可是自從盟軍占領歐洲，我手頭就有點拮据。」

2 芬尼（pfennig）：德國貨幣，值1/100馬克。

梅特林的洗衣單
The Metterling Lists

人們盼望已久的梅特林送洗衣服清單的第一卷，終於由維納爾父子出版公司出版了（《漢斯·梅特林送洗衣服清單》第一卷，共四百三十七頁，前附三十二頁導言，後附索引，售價十八美元七十五美分），書中還有研究梅特林的著名學者岡瑟·艾森巴德旁徵博引的評論。出版公司決定在四卷巨著全數完成前，單獨出版這第一卷，既明智又受歡迎，因為這部十分老派卻又妙趣橫生的著作一出版，將會隨即終止令人不快流言，即維納爾父子出版公司不過是倚靠著同一座金礦，不停地從梅特林的小說、戲劇、筆記、日記和信件中獲得豐厚的利益。這些流言真是大錯特錯！梅特林的第一份清單就清清楚楚、幾近完整地把這位人稱「布拉格怪人」的躁動天才展現在讀者面前。

第一份清單如下：

六條短褲
四條內褲
六雙藍襪子
四件藍襯衫
兩件白襯衫
六條手帕
不上漿

這份清單是梅特林創作《惡毒乳酪懺悔錄》時隨手寫的。《懺悔錄》是一部驚人的哲學大作，其中不僅證明康德的宇宙觀是錯的，還證明他從未領過支票。梅特林厭惡上漿，這在當時很普遍。當送洗的衣服都上了漿，變得硬挺挺時，梅特林的情緒就忽上忽下，容易低沉。他的女房東維澤夫人跟朋友說：「梅特林先生會因為襯衣上漿，多天足不出戶，哭個不停。」當然，布魯爾早已指出，內衣上漿與梅特林常常覺得自己被人私下議論兩者之間有所關連（《梅特林：壓抑心理與早年送洗的衣服》，蔡斯出版社）。梅特林唯一一部劇作《氣管炎》就描述了這種不遵從吩咐的主題，尼德曼錯把受詛咒的網球給了瓦哈拉。

第二份清單如下：

七條短褲

五條內褲

七雙黑襪子

扯平　18

六件藍襯衫
六條手帕
不上漿

這份清單上最令人不解的是那七雙黑襪子。眾所皆知，梅特林特別喜歡藍色。確實，多年來若是提到任何其他顏色，他都會大發雷霆。一次梅特林就把里爾克[3]推進了蜂蜜裡，只因為他說喜歡褐色眼睛的女人。安娜·佛洛伊德表示，梅特林忽然轉向深顏色的襪子的肇因，是他對「拜羅伊特事件」感到不快——在《崔斯坦與伊索德》第一幕中，他打了個噴嚏，把一位極為富有的歌劇贊助人的假髮給吹掉了，惹得觀眾大笑不止（《梅特林的襪子作為崇拜男性的母親的表象》，《精神分析學刊》，一九三五年十一月）。不過，華格納為他辯護說：「誰都會打噴嚏。」這句話現已成為經典。柯西瑪·華格納為此哭了起來，指責梅特林破壞她丈夫的歌劇。

梅特林對柯西瑪確實有所圖謀。我們都知道他在萊比錫拉了她的手；四年後在魯爾又拉了一次。在但澤一次暴風雨中，他轉彎抹角地提到她的小腿骨。她覺得最好不要再見他了。梅特林回家時已經筋疲力盡，寫下了《一隻雞的思想》，並把原稿獻給了華格納夫婦。夫婦倆用書來墊廚房餐桌的桌腳，梅特林就此心緒陰沉，轉穿黑襪子。他的管家求他穿回藍襪子，至少換成褐色的，但梅特林對她大罵：「潑婦！你為什麼不說花格襪子呢？」

第三份清單如下：

---

3 里爾克（Rainer Maria Rilke，1875-1926）：著名的德語詩人，生於布拉格。除了詩歌外還撰寫小說、劇本以及散文，書信也是其文學作品的重要一環。本文主角梅特林極可能是諧仿自里爾克。

六條手帕
五件內衣
八雙襪子
三條床單
兩個枕套

清單裡第一次提到寢具。梅特林極為喜歡寢具，尤其是枕套。小時候，梅特林和姐姐常把枕套套在頭上裝神弄鬼，直到有一天他掉進了採石場。梅特林喜歡睡在新換洗的床單上，他小說裡的人物也都如此。《鯡魚》中性無能的鐵匠就因為換床單而殺人。《牧羊人的手指》中的傑妮願意跟克萊曼（她恨他把奶油抹在她母親身上）上床，「如果這意味著躺在柔軟的床單上。」洗衣店洗的床單從未讓梅特林高興過，實乃悲劇；但是，若像法爾茲宣稱的那樣，梅特林因此怒氣沖天，未能寫完

《克雷丁，汝去何方》，也實屬荒謬。梅特林把送洗床單視為一種奢侈享受，不過，他並不是非此不可。

梅特林未能完成醞釀已久的詩集，其原因是一次失敗的戀情。這在其著名的第四份清單中顯露出來。

第四份清單如下：

七條短褲
六條手帕
六件內衣
七雙黑襪子
不上漿
當日取件

一八八四年，梅特林遇上露・安德烈莎樂美[4]。我們後來得知，他突然要求每天都要送洗衣服。實際上，他們倆是通過尼采介紹認識的。尼采告訴露，梅特林要麼是個天才，要麼是個傻瓜，要看她自己能否猜出是哪個。當時，歐洲大陸開始流行當日洗衣服務，這在知識分子當中尤其流行。梅特林推崇這種新方法，因為服務快捷準時，梅特林正是看中這一點。他和人約會總是很準時，有時提前幾天就到了，只能被安置在客房。露也喜歡洗衣店每天送來新洗的衣服，像個孩子一樣欣喜若狂，常拉上梅特林到林子裡去散步，在樹林中打開包衣服的包裹。她喜歡他的內衣和手帕，但她最崇拜他的短褲。她寫信給尼采說，在她所遇見的事物中，包括《查拉圖斯特拉如是說》，梅特林的短褲是最莊重崇高的。對此，尼采的態度恰如君子，可他卻總是嫉妒梅特林的內衣，跟好友說這些內衣是「極端的黑格爾風格」。一八八六年大飢荒之後，露・莎樂美和梅特林分手。梅特林已經不再計較了，可是莎樂美卻總是說「他的腦子像醫院的角落一樣骯髒」。

第五份清單如下：

六件內衣
六條短褲
六條手帕

這份清單一直令學者們迷惑不解，主要原因是其中完全沒有襪子。（的確，托馬斯・曼多年後寫道，他曾寫了一部深入探討這份清單的劇本：《摩西的襪子》，但不巧掉進了下水道。）這位文壇巨人每周送洗

4 露・安德烈莎樂美（Lou Andreas-Salomé，1861-1937）：心理分析家和作家，曾與里爾克交往。

清單上為何忽然沒了襪子？一些學者宣稱這正是他行將陷入瘋狂的跡象；可是雖然他已經有了某些怪異的舉動，但還未至如此。有一點，他覺得自己要麼是在被人跟蹤，要麼是在跟蹤別人。他告訴好友說政府企圖偷走他的下巴；一次在耶拿休假，整整四天裡他只會說「茄子」，其他什麼話也說不出來。不過，這些都不多見，也說明不了襪子為何失蹤。他也並非出於內疚才模仿卡夫卡。因為卡夫卡有一段時間不穿襪子。不過，艾森巴德給我們講明梅特林仍然穿襪子，他只是不再把襪子送到洗衣店了！為什麼？因為他在這段時間聘請了一位管家，米爾娜夫人。米爾娜同意用手洗襪子，這讓梅特林十分感動，便把全部家產都留給了這位女傭：一頂黑帽子和一些菸草。她還以希爾達的形象出現在他的寓言喜劇《母親的靈液》中。

顯然到了一八九四年，梅特林的性格開始分裂，從他第六份清單中也許能看出些苗頭。

第六份清單如下：

二十五條手帕
一件內衣
五條短褲
一隻襪子

此時，他開始讓佛洛伊德為他做精神分析，這一點也不令人吃驚。數年前他在維也納見過佛洛伊德，當時兩人一起進行伊底帕斯[5]的研究，佛洛伊德曾因全身冒冷汗，被人抬了出去。我們若是相信佛洛伊德的筆記，他們對話的過程一點也不平靜，而且梅特林還充滿敵意。有一

5 伊底帕斯（Oedipus）是指佛洛伊德的重要理論，即「戀母情結」。

次他甚至威脅要給佛洛伊德的鬍子上漿，還常說佛洛伊德讓他想起洗衣工。慢慢地，梅特林講出了他與父親之間不同尋常的關係。（研究梅特林的學者對其父親已經很熟悉了。他是一位小官吏，常常嘲笑梅特林，將其比作侏儒。）佛洛伊德寫下了梅特林曾向他講過的一個重要的夢：

我正與幾位朋友聚餐，忽然走進一個上了鎖鏈的人端著一碗湯。他痛斥我的內衣叛國。一位女士為我辯護時前額掉了下來。我在夢裡覺得很有趣，大笑起來。接著每個人也都笑了起來，除了我的洗衣工。他板著臉坐在那裡，把粥往耳朵裡倒。我父親進來，撿起女士的前額跑了。他跑到廣場上，喊著：「終於啊終於！我有了自己的前額！再也不必依靠我那傻兒子了。」這令我在夢裡聽了頗壓抑，超想親吻鎮長的換洗衣服。（此時，患者開始哭泣，忘了後面的夢。）

藉著分析這個夢境，佛洛伊德得以幫助梅特林。撇開診療分析，兩人成了好朋友，雖然佛洛伊德從不讓梅特林走在自己身後。

出版社宣布在第二卷，艾森巴德將負責匯編第七份至第二十五份清單，包括梅特林「私人洗衣女工」那些年的秘事，還有他與街角那名中國人之間可悲的誤解。

有組織犯罪初探
A Look at Organized Crime

在美國，有組織犯罪每年的收入超過四百億美元已不是個秘密。這可是一筆龐大的收益，當你考慮到有組織犯罪的辦公花費很少時，就更是如此了。據可靠消息來源指稱，去年黑手黨最多花了六千美元購買個人文具，釘書針的費用就更少了。而且他們只聘用一位秘書負責所有的打字工作；總部只有三間小房間，還與弗萊德·波斯基舞蹈教室共用。

去年，有組織犯罪直接涉入了上百起凶殺案，其中黑手黨就間接參與了數百起，包括資助殺手車資，或是幫殺手拿大衣。黑手黨從事的其他不法活動還包括了賭博、販毒、賣淫、綁架、放高利貸，以及跨州運輸大量的白魚[6]用於不道德的勾當。黑手黨甚至把觸角伸到了政府部門。僅僅幾個月前，受到聯邦指控的兩名黑幫老大竟在白宮過夜，總統只好去睡沙發。

美國黑手黨史

一九二一年，托馬斯・屠夫・卡維羅和希羅・裁縫・桑圖西企圖把黑社會各個族裔的集團糾集起來，進而掌控芝加哥。但是被艾伯特・邏輯實證家・科瑞羅暗殺里普斯基給攪了局。艾伯特把里普斯基鎖在壁櫥裡，用一支吸管吸光裡面的空氣。里普斯基的兄弟門迪（又名：門迪・路易斯，又名：門迪・拉森，又名：門迪・又名）為了報復，綁架了桑圖西的兄弟蓋塔諾（人稱小托尼，或亨利・夏普史坦拉比），幾周之後，把他分裝在二十七個大玻璃罐送了回來。這標誌著一場大屠殺的開始。

多明尼克・爬蟲學家・米昂尼在芝加哥一家酒吧外槍殺了「幸運兒」羅倫佐（綽號源自一枚炸彈在他的帽子裡爆炸，卻沒把他炸死）。作為報復，科瑞羅及其同夥尾隨米昂尼至紐瓦克，把他的頭做成一件管樂器。此時，由朱塞佩・維塔勒（真名叫昆西・貝德克）領導的維塔勒幫開始蠢動，從愛爾蘭人拉瑞・多爾手中將哈林區的私酒事業搶奪過來。多爾這個詐騙犯疑心病很重，絕不讓紐約的任何人走在他身後，因此在街上行走時總是以芭雷舞姿踮著腳尖旋轉。多爾後來被人殺死，因為斯蘭特建築公司決定在他鼻梁上建造新的辦公室。多爾的副手小彼迪・大彼迪・羅斯接掌了大權，他堅持抵抗維塔勒的入侵，以舉辦化裝舞會為名，將維塔勒哄騙到中城一個空停車場。維塔勒不疑有他，扮成

6白魚（whitefish）：海洛英的黑話為「white-salmon」，伍迪用「白魚」玩雙關語，一方面可直接指涉毒品交易，一方面也可指涉黑手黨以合法掩護非法的勾當。

一隻大老鼠走進停車場，瞬間被機槍打成蜂窩。為表示對亡故老闆的忠誠，維塔勒手下的人立即投靠羅斯。維塔勒的未婚妻貝・摩雷蒂也歸順過來。她是個演藝明星，主演百老匯當紅音樂劇《猶太禱詞》，最後嫁給了羅斯，雖然她後來把他告上法庭訴請離婚，理由是他曾把一種令人討厭的脂膏塗在她身上。

「奶油烤吐司大王」文森・科倫巴羅怕聯邦政府干預，呼籲停戰。（科倫巴羅對進出紐澤西州的奶油烤吐司控制極嚴，他只要一句話，就能攪亂全國三分之二家庭的早餐。）黑社會所有成員都被召集到紐澤西州珀斯安博伊的餐會，科倫巴羅在餐會上告訴他們，必須停止內訌，而且以後衣著要體面講究，不准再賊頭賊腦的。以前寫信簽名處是塗上一隻黑手，今後落款要改成「此致」。所有的地盤要平均分配，紐澤西州將歸科倫巴羅的母親管理。黑手黨，或稱「科薩諾斯塔」（字面意思為「我的牙膏」或「我們的牙膏」）[7]就此誕生。兩天後，科倫巴羅躺進熱乎乎的浴缸裡洗澡，從此失蹤了四十六年。

黑手黨內部結構

黑手黨的結構如同任何政府或大型公司一樣，當然也像幫派一樣。最上面是capo di tutti capi（大老闆），即所有老闆的老闆。會議在大老闆家裡召開，他要準備好冷盤和冰塊。否則後果就是當場處死。（順帶一提，死亡是黑手黨成員可能遇到事情中最糟的一件事了，他們多數都情願罰款了事。）大老闆下面是副手；每位副手領導著他的「家庭」掌管一個城區。黑手黨的家庭成員沒有老想著去馬戲團或是野餐的妻子和孩子，而是一群群相當嚴肅的男人，他們生活中最主要的樂趣，來自於

7 科薩諾斯塔（Cosa Nostra）是黑手黨（Mafia）的許多稱呼之一，英文意思為「our thing」（我們的事物），伍迪·艾倫惡搞為「我們的牙膏」（our toothpaste）。

看某些人在東河下能待多長時間才從嘴裡冒泡。

加入黑手黨的手續非常複雜。提出申請後，要被蒙住眼睛帶到一間暗房，在口袋裡放幾片塊哈密瓜，用一隻腳跳來跳去，同時還要大喊：「再見！再見！」接著，董事會（或委員會）成員會把他的下嘴唇拉出來再彈回去，有些委員甚至會想再拉一次。隨後，在他頭上放些麥粒。他要是不高興，就沒資格加入。不過他要是說「好，我喜歡頭上放麥粒」，就順利成為兄弟，在眾人親吻臉頰及握手下完成儀式。從那刻起，他就不得吃酸辣醬，不得模仿母雞的樣子逗弄朋友，或是殺死任何名叫維托的人。

結論

黑手黨是我們國家的禍害。雖然許多年輕的美國人被他們承諾的舒適生活所引誘，開始了犯罪生涯，可是實際上，大多數犯罪分子經常是在沒有空調的建築物裡超時工作。我們每個人都有責任鑑別犯罪分子。通常這些人的特徵是大袖扣，以及即使鄰座的人被落下的鐵砧砸到，他依舊會繼續吃東西。打擊有組織犯罪的最佳辦法是：

1. 跟犯罪分子說你不在家。
2. 只要有過多自稱「西西里洗衣公司」的男人在你家大廳唱歌，就立即報警。
3. 竊聽電話。

竊聽電話無法隨意實行，不過我們可以從這份聯邦調查局竊聽紐約地區兩個幫派老大的對話紀錄看出效果：

安東尼：喂，里哥？

里哥：喂？

安東尼：里哥？

里哥：喂。
安東尼：里哥？
里哥：我聽不見。
安東尼：是你嗎，里哥？我聽不見。
里哥：什麼？
安東尼：聽得見我說話嗎？
里哥：喂？
安東尼：里哥？
里哥：通訊不良。
安東尼：聽得見我說話嗎？
里哥：喂？
安東尼：里哥？
里哥：喂？

安東尼：接線員，我們的通訊不清楚。
接線員：掛上電話再重撥，先生。
里哥：喂？

因為這份證據，安東尼·大魚·羅諾和里哥·帕茲尼被控非法占有班森赫斯特地區，判刑十五年，現正在辛辛監獄服刑。

我的哲學

My Philosophy

我的哲學是這樣形成的：我太太請我品嘗她有史以來第一次做的舒芙蕾，不巧，有一勺掉在我腳上，砸斷了幾根小骨頭。於是醫生給我照X光，做了檢查，然後要我臥床一個月。在療養期間，我拿出西方社會最傑出的思想家的一些著作——我一直將這些書準備在側，以因應這樣的不時之需。我打破時間順序，從齊克果和沙特起頭，很快轉到史賓諾沙、休謨、卡夫卡和卡繆。我曾擔心這些書會讀來枯燥無味，結果相反，我欣然迷上了這些偉大思想家的敏捷思維，毫不畏縮地批評風俗、藝術、道德、生命和死亡。我還記得讀到齊克果一句名言時的反應：

「此種關係涉及自身與其本身（也即自我），必定構成了自身，抑或由其他構成。」這一概念讓我淚水盈盈。我想，我的文字若能如此聰慧該有多好！（我寫《動物園一日》的作文時，連幾句意義連貫的句子都寫不出。）的確，這句名言我全然不懂，但只要齊克果自己開心，又有何妨？我忽然有了自信，我生來就該研究形而上學。於是我拿起筆馬上記下了自己的第一縷靈感。工作進展迅速，只用兩個下午就完成了一部哲學著作；期間還打了個盹，並一邊把兩枚ＢＢ彈射進玩具熊的眼睛。希望這部著作在我去世後，或在公元三千年時（哪個先到都行），不會湮沒無聞。我謙虛地相信，它將令我在歷史上最有分量的思想家行列中占有一席之地。在此略錄這部思想寶庫中的一小部分留給後人傳讀，或是留給來打掃房間的女工。

一　純粹無聊批判

在任何哲學思想成型時，首先要考慮的必定是：我們能認識什麼？意即，我們確定能認識什麼，或是確定認識到我們認識什麼——如果這確實是可認知的。或者單純是我們忘記了，不好意思說出來？笛卡兒曾暗示過這一問題，他寫道：「我的頭腦雖然與我的雙腿十分友好，卻從不認識我的身體。」碰巧，關於「可認知的」，我並非是指通過感覺可以認識的事物，或通過頭腦可以掌握的事物，而是已被認識，或擁有認知或可知性的事物；或者，至少是你可以與朋友說起的事物。

我們真能「認識」宇宙嗎？老天爺，光是在唐人街認路都夠難了。然而問題在於：是否真的天外有天？而且為什麼？非得這麼吵嗎？最後，毫無疑問的是，「現實」的一個特徵是它缺少本質。這不是說它沒有本質，而僅僅是缺少本質。（我談的現實與霍布斯論述的一樣，但略小一點。）因此，笛卡兒的箴言「我思故我在」也可以用更好的方式來表達：「嘿，艾娜帶著薩克斯風來了！」就是說，要認識一種物質或是一種想法，我們必須懷疑它，在懷疑過程中，逐漸認清在其有限狀態下所具備的特質，這些特質確確實實「正在其中」，或是「從屬其中」，或者從屬他者，或者從屬虛空。這一點弄清楚了，就可以暫時把認知論拋在一旁。

二　末世論辯證法作為防治皰疹的手段

我們可以說，宇宙是由一種物質組成的。我們把這種物質稱作「原子」，或是稱作「單子」。德謨克利特稱其為原子。萊布尼茨稱其為單子。幸運的是這兩位從未相遇，否則就要引起非常枯燥的爭論。這些「粒子」由某種起因或某種根本法則啟動，進入運動狀態；或許是某件東西掉落在某個地方。問題是現在做任何事情都為時過晚，也許唯一的辦法就是多吃些生魚片。這當然無法解釋靈魂不朽的原因，也說不清來世，或是我叔叔森德覺得阿爾巴尼亞人總在跟蹤他。帕斯卡認為，第一法則（即上帝，或一陣勁風）與關於存在（存在）的任何目的論概念之間的隨意關係，「如此滑稽，乃至毫不可笑（可笑）。」叔本華稱其為「意志」，但他的醫生診斷的結果是花粉過敏。他晚年時為此深感苦惱，或許是因為他越來越懷疑自己不是莫扎特。

三　一天五塊錢的宇宙

那麼，什麼是「美」？和諧與公正的結合？還是和諧與聽起來跟「公正」同音的別的什麼詞相結合？也許和諧應該與「公證」[8]結合起來；這正是給我們帶來麻煩的原因。的確，真即是美，或是「必要」。

8 原文為「crust」（麵包皮），與「just」（公正）諧音。

也即，善或是擁有「善」的品質的事物，便結成「真」。若非如此，你可以打賭說此事不美，哪怕它具有防水功能。我開始在想當初我就是對的，一切均應同公證結合起來。噢，也罷。

兩則寓言

某人走近宮殿。唯一的入口由剽悍的匈奴人把守，他們只准名叫尤利烏斯的人進入。此人欲賄賂守衛，說要提供他們一年的上好雞塊。守衛既不嘲笑也不接受，只是揪住他的鼻子擰成花樣螺絲的樣子。這人說他必須進入宮殿，因為他給皇帝帶來了換洗的內衣。守衛仍舊不許，他就開始跳起查爾斯頓舞。守衛好像還挺愛看他跳舞，但很快就對聯邦政府壓迫納瓦霍人感到悶悶不樂。此人跳得喘不上氣，倒地而死，至死也沒見到皇帝，更因為在八月份租了一架鋼琴，而欠了史坦威鋼琴公司六十塊錢。

＊＊＊

我受命給一位將軍送信。我騎了又騎，但將軍的司令部卻彷彿越來越遠。最後一隻巨大的黑豹撲向我，吞噬了我的腦和心。這真是個曲折恐怖的夜晚。無論我多麼賣力都追不上將軍，我眼見他穿著短褲在遠處奔跑，並一邊向敵人默念「肉豆蔻」。

格言

想要客觀地體驗自己的死亡同時唱歌不走音，是不可能的。

＊＊＊

宇宙僅僅是上帝頭腦中一個轉瞬即逝的念頭——這想法著實令人不安，尤其是在你剛繳了房貸頭期款以後。

＊＊＊

永恆的空虛本無可厚非，倘若你穿衣就是為此目的。

＊＊＊

戴歐尼修斯[9]如果在世該多好！可是他將在何處進餐？

＊＊＊

世上沒有上帝，不然你在周末給我找個水管工試試。

三明治伯爵小傳

Yes, but Can the Steam Engine Do This?

我一邊翻著雜誌，一邊等待我的小獵犬約瑟夫・K。牠每週二都要到公園大道看心理醫生，每次五十分鐘，收費五十元。這位榮格學派獸醫總是費盡心力地要約瑟夫相信，雙下巴並不會妨礙社交。忽然，雜誌某頁下端的一句話，像欠款通知一樣瞬時引起了我的注意。那無非是一則標題裡帶有「簡明圖表」或「你肯定不知道」之類字眼的樣板文章，但是，其龐大的氣勢卻如同貝多芬《第九交響曲》開頭樂章那般有衝擊

9 戴歐尼修斯（Dionysos）：希臘神話的酒神，

力。其中寫道：「三明治是由三明治伯爵發明的。」我深感震驚，又讀了一遍，情不自禁地渾身顫抖起來。我覺得天旋地轉，腦子裡開始浮現出第一個三明治發明過程中必不可少的宏偉夢想、希望與挫折。我兩眼濕潤了，看著窗外閃光的高樓大廈，體驗到了永恆，對人在宇宙中那永不磨滅的地位驚嘆不已。人，作為發明家的人！達文西的筆記依稀呈現在我面前——真是人類崇高追求的大膽設想。我想到亞里斯多德、但丁、莎士比亞、《第一對開本》、牛頓、韓德爾的《彌賽亞》、莫內、印象主義、愛迪生、立體主義、史特拉文斯基、$E = mc^2$……

史上第一個三明治陳列在大英博物館的圖像清晰浮現在我的腦海中，於是我花了三個月的時間編寫其發明者——三明治伯爵的小傳。雖然我的歷史知識有限，而且我將事物浪漫化的功力令嗑藥者相形見絀，我希望我至少捕獲了這個被埋沒的天才的本質，並啟發真正的歷史學家以我的筆記為起點繼續研究下去。

一七一八年：三明治伯爵出生在一戶上流家庭。其父被任命為國王陛下首席獸醫，為此高興了若干年，直到有一天發現自己不過是個鐵匠[10]，在惱怒之下辭職。母親是個有德國血統的普通家庭主婦，她做的飯菜平凡無奇，大抵上不脫豬油和麥片粥，不過她能調製味道尚可的乳酒凍，多少展現了些許烹調想像力的天賦。

一七二五年至三五年：上學，學習騎馬和拉丁語。在學校第一次見到冷盤，對於烤牛肉和火腿薄片展現出非同尋常的興趣。畢業時這已經成為一種癡迷，雖然他的畢業論文《零食的分析和伴隨而來的現象》激起了教師們的興趣，但他的同學都視其為怪人。

10 原文的「farrier」一詞同時有「獸醫」及「蹄鐵匠」的意思。

一七三六年：奉父母之命，進入劍橋大學研究修辭學和形而上學，但對這兩門科目毫無興致。在不斷的反對一切的學術事物後，他被指控偷盜麵包進行超乎常態的試驗。異端的指控導致他遭到開除。

一七三八年：斷絕所有聯繫，他動身前往斯堪地那維亞諸國，花費三年的時間深入研究乳酪。他還見識了各式各樣的沙丁魚，並在筆記中寫道：「我確信食物的組合存在著一種人所未知的恆久本質，即簡單，簡單。」回到英國後，他認識了一位名叫內爾・斯莫波爾的菜販之女，兩人結婚。她把有關生菜的一切知識都傳授給他。

一七四一年：靠著一小筆遺產在鄉下生活，他日夜不停地工作，常不吃飯以節省開銷。他的第一部作品——一片麵包，再疊上一片麵包，麵包上再放一片火雞肉——結果遭遇慘敗。他極度失望，返回工作室重新開始。

一七四五年：經過四年的狂熱工作後，他深信成功在望。他在同行們面前展示了兩片火雞肉，中間夾一片麵包。沒有人認可他的成果，唯獨大衛・休謨不然。休謨嗅出某種偉大發明即將問世，給予他鼓勵。受到哲學家友情的振奮，他重整旗鼓再度投入工作。

一七四七年：他貧困落魄，再也買不起烤牛肉或火雞肉，改用較便宜的火腿。

一七五〇年：春季，他展示了三片疊在一起的火腿；這引起了一些興趣，主要在知識分子圈，但一般大眾仍不為所動。他把三片麵包疊在一起後，名氣就更大了。雖然風格尚未成熟，伏爾泰仍邀他一聚。

一七五一年：前往法國，戲劇家兼哲學家伏爾泰用麵包加沙拉醬取得了頗有意思的成果。兩人成為好友，開始通信；但因伏爾泰郵票告罄，兩人交往中斷。

一七五八年：越來越受到輿論好評的他，接受女王聘請，為西班牙大使的午宴製作特餐。他日夜工作，撕掉上百張藍圖，終於，一七五八年四月二十七日凌晨四時十七分，他創造出一件傑作：在兩片燕麥麵包中間，夾幾片火腿。接著他又突發靈感，用芥末醬進行修飾。這部作品隨即造成轟動，於是他被委託負責當年度接下來所有的周六午宴。

一七六〇年：成功接踵而至，他用烤牛肉、雞塊、牛舌，還有幾乎所有能想得到的冷盤肉，創造了「三明治」——人們以他名字命名，以彰顯其貢獻。但他不滿足於重複既有的組合，繼續尋找靈感並發明了「綜合三明治」，因此獲頒嘉德勳章。

一七六九年：居住在鄉間莊園，當代幾位最偉大的人物都曾前來拜訪，包括海頓、康德、盧梭與富蘭克林。有的在他家裡品嘗他的傑作，有的則是打包帶走。

一七七八年：雖然年老體弱，但他仍然追求新的配方，並在日記中寫道：「我常常工作到冰冷的深夜，為了取暖，把什麼都烤過一遍。」一年後，他的爐火烤牛肉三明治因風格前衛，招來負評。

一七八三年：為慶祝自己六十五歲生日，他發明了漢堡，並親自在各國首都舉辦巡迴展，在音樂廳的廣大觀眾面前製作漢堡。在德國，歌德建議用小圓麵包，這主意令伯爵甚是高興。他如此評論《浮士德》的作者：「這個歌德，真是個人物。」這句評語也讓歌德感到欣然，但隔年他們便因為在三分熟、五分熟和全熟上產生歧見而分道揚鑣。

一七九〇年：在倫敦的作品回顧展期間，他突然感到胸口痛，以為大限將至；但他恢復了健康，足能監督一群富有才華的追隨者建造一個巨無霸三明治。這個三明治在義大利揭幕時引起了騷動；迄今為止除了少數美食家，鮮有人能給予正確評價。

一七九二年：他得了膝蓋內翻，因未能及時治療，最後在睡眠中辭世。他被葬在西敏寺，成千上萬的人前來弔唁。在葬禮上，德國詩人荷爾德林毫不掩飾對他的崇敬，如此總結他的成就：「他把人類從熱午餐中解放出來，我們受惠良多。」

春季招生簡章

Spring Bulletin

大學課程簡章和成人教育廣告沒完沒了地塞進我的信箱，我相信自己肯定是上了輟學者的特別名單了。我倒也不是抱怨，成人教育課程簡章挺有意思的，竟讓我產生出濃厚的興趣；在以前，我只對錯投給我的香港蜜月用品型錄才抱有這種興趣。每次看到最新的成人教育課程簡章，我都下定決心要拋下一切返回學校。（許多年前我被學校開除，但罪名毫不屬實，如同「黃小子威爾」曾遭受的冤枉一樣[11]。）不過到目

11 黃小子威爾（Yellow Kid Weil）是美國著名的詐欺犯，此句可理解為敘事者的狡辯之詞。

前為止，我仍是個未受過教育、沒上過進修課程的成年人。我還養成了翻看一份印刷精美的假想課程簡章的習慣，以下內容頗具代表性：

夏季課程

經濟學理論：系統化運用及批判性評估經濟學理論的基本分析概念，重點講錢以及錢為什麼是好東西。第一學期有固定係數生產函數、成本和供應曲線，以及非凸性的課程；第二學期側重花錢、找零，以及保持錢包乾淨整潔。分析聯邦儲備體系，進度快的學生將接受指導如何正確填寫存款單。其他課題包括：通貨膨脹和經濟蕭條——如何著裝得宜、貸款、利息，以及賴帳逃債。

歐洲文明史：自從在紐澤西州東拉福德的席頓餐館男廁發現始祖馬化石以來，就有人提出懷疑，認為歐洲和美洲曾一度由一條陸地走廊相連，但後來陸地沉沒或變成了紐澤西州的東拉福德，或是兩者都曾發生。這給人們研究歐洲社會的形成帶來了新的視角，使得歷史學家能夠推測，在一塊本可以成為更好的亞洲的地方，為何出現了歐洲。課程中還將探討為何決定在義大利進行文藝復興。

心理學入門：人類行為理論。為何有人被稱為「可愛的人」，為何有人你見了就想掐他。大腦與身體是否可以分開，如果可以，留哪個更好？討論攻擊行為和反叛行為。（對此心理學領域特別感興趣的學生，可選修以下冬季課程：敵意行為入門、敵意行為中等課程、仇恨行為高等課程、憎恨行為的理論基礎。）特別注重研究與無意識相對的有意識行為，並對如何保持意識提供有益的忠告。

精神病理學：力求瞭解偏執狂和恐懼症，包括懼怕突然被劫持並被塞上一嘴蟹肉、打排球時不願回球，以及在婦女面前說不出「厚毛毯」這個詞。分析非要尋找水獺做伴的強迫症。

哲學第一講：從柏拉圖到卡繆，閱讀每一位哲學家的著作。涉獵的課題如下：

倫理學：無上命令，以及使其為你所用的六種方法。

美學：藝術究竟是生活的反映，還是什麼？

形而上學：人死後靈魂會怎樣？它們如何營生？

認識論：知識是可知的嗎？如果不是，我們又何以得知？

荒誕：生存為何常常被視為是愚蠢的，尤其是對穿棕白兩色鞋子的人而言？探討多重性和單一性與其他性之間的關聯。（達到了單一性的學生，將升至二重性。）

哲學第二十九講之二：上帝入門。通過講座和實習，面對宇宙的造物主。

新數學：新近發現，多年來人們一直把「5」反著寫，所以，標準數學已經過時，人們重新評估從一至十的計數方法。學習布爾代數的高深概念。先前無解的方程式，以威脅報復的方式求解。

基礎天文學：詳細研究宇宙及其清潔保養。由氣體組成的太陽隨時會爆炸，把我們整個太陽系拋向毀滅；向學生講解身為一般公民，在這種情況下可以做什麼。他們還會學習認識各種星座，如北斗星、天鵝座、人馬座，還有組成褲子推銷員魯米德斯的十二顆星。

現代生物學：身體如何發揮性能，哪裡找得到屍體？分析血液，瞭解為何血液是在血管裡流動的最好物質。學生解剖青蛙，比較青蛙的消化道和人的消化道；青蛙能夠自己解釋，但解釋不了咖喱。

速讀：這一課程要求每天把閱讀速度提高一點，學期結束時，學生要達到在十五分鐘內讀完《卡拉馬助夫兄弟》的速度。速讀的方法是瀏覽書頁，剔除一切字詞，視線之內只留代詞。很快，代詞也剔除掉。逐漸鼓勵學生打瞌睡。解剖青蛙。春季到來，有人結婚，有人死去。平克頓不再回來。

樂理三段：豎笛。指導學生如何從一端吹奏笛子，演奏《揚基．杜德爾》，然後迅速轉至《布蘭登堡協奏曲》。再緩緩回到《揚基．杜德爾》。

音樂欣賞：為能正確「聆聽」一部偉大的音樂作品，必須：⑴瞭解作曲家的出生地；⑵能夠區分迴旋曲和諧謔曲，並以行動來證明。這其中態度十分重要。微笑是種很差的表現方式，除非作曲家特意讓音樂顯得滑稽，如同《梯爾．歐倫施皮格爾的惡作劇》，其中充滿音樂玩笑（雖然長號部分最動聽）。耳朵也必須經過培訓，因為耳朵是最容易受騙的器官；立體聲揚聲器若沒放對地方，耳朵就會跟鼻子沒什麼兩樣。其他課題還有：四小節休止符及其成為政治利器的潛力；格里高利詠嘆：哪些僧人能跟上節拍。

舞台劇本創作：一切戲劇均是衝突。人物性格發展很重要，人物對白也是一樣。學生將學到，沉悶的長篇大論效果不佳，簡潔「有趣」的台詞則很受歡迎。簡明觀眾心理學將探討：在戲院中，一齣主角名叫「老頭」的慈祥老人的戲，為什麼不如盯著某人後腦勺、試圖讓他轉頭有趣？本課程還將探討戲劇史中有趣的一面。比如在斜體字發明前，表演說明部分常常被誤認為是台詞；大名鼎鼎的演員經常說些「約翰起身，走到舞台左側」之類的台詞。這自然令人尷尬，有時還引來惡評。課上將詳細分析這種現象，指導學生避免犯錯。必讀書目：舒爾特的《莎士比亞：他是四個女人嗎？》

社會工作入門：專為輔導熱心於「基層工作」的社會工作者。課題包括：如何把街頭幫派轉變成一支籃球隊，反之亦然；如何利用公園遊樂場防止青少年犯罪；如何誘導潛在的殺人兇手喜歡上滑水梯；歧視現象；家庭破裂；如遭自行車鐵鍊毆打，應該如何應付等。

葉慈與衛生學比較研究：以正確的牙齒護理為背景，分析葉慈的詩歌。（招生人數有限。）

哈西德教派小故事以及知名學者解析

Hassidic Tales, with a Guide to Their Interpretation by the Noted Scholar

有個人長途跋涉來到海烏姆，向班．卡迪許拉比求教。班．卡迪許是九世紀最賢明的拉比，或許也是中世紀的頭號害人精[12]。

此人問道：「拉比，哪裡能找到內心的安寧？」

拉比上下打量了他一番，說：「快，回頭看！」

此人轉過身，班．卡迪許拉比拿起蠟燭台朝他腦後一擊。「這夠安寧了吧？」說罷，他正了正頭頂上的小圓帽，咯咯笑了起來。

---

12 害人精：原文為noodge，意第緒語，可理解為：害人精、討厭鬼。

這個故事裡問到的是一個毫無意義的問題。不僅問題毫無意義，遠遠奔赴海烏姆提問也毫無意義。倒不是他跋涉了多少路才到海烏姆，而是他為何不老實在家裡待著？他為何要給班．卡迪許拉比添麻煩，難道拉比的麻煩還不夠多嗎？當時的實情是，拉比正被幾個賭徒糾纏得焦頭爛額，而且，某個海奇特夫人為確認兒子的生父是誰的官司，也牽扯到他。不，這個故事的重點是，此人窮極無聊，除了遠遠趕到海烏姆惹人厭外，就無事可做。所以拉比要敲他腦袋。據《摩西五經》稱，這是表示關切的最細膩方式之一。這個故事的另一版本中講到，拉比盛怒之下將此人按倒在地，用鐵針在其鼻子上刻下《路得記》的故事。

＊＊＊

波蘭的拉迪茨拉比身材短，鬍子長。據說，他的幽默感招致了多次對猶太人的大清洗。他的一位門徒曾問：「上帝是更喜歡摩西，還是更喜歡亞伯拉罕？」

「亞伯拉罕，」拉比說。

「可是摩西帶領以色列人抵達上帝應許之地，」門徒說。

「好吧，那就是摩西，」拉比回答。

「我懂了，拉比。這是個蠢問題。」

「不僅問題蠢，你也蠢，你老婆也奇醜無比；還有，你要是還踩著我的腳不鬆開，我就把你逐出教門。」

故事中，門徒要拉比判斷摩西和亞伯拉罕兩者價值的高低。這並非易事，尤其對一個從未讀過《聖經》還一直裝作讀過的人來說，就更不容易。而且，用「更喜歡」這個空洞的比較級是什麼意思？拉比「更喜歡」的，其門徒不一定「更喜歡」。比方說，拉比喜歡趴著睡；其門徒也喜歡趴著睡：趴在拉比的身上睡。此處的問題很明顯。還要指出的是，按照《摩西五經》的律法，踩到拉比的腳（如故事中這位門徒之所為）是原罪，形同於把玩逾越節薄餅，卻又不吃。

＊＊＊

某人家裡有個女兒長得很醜，嫁不出去，於是拜訪克拉科夫的希梅爾拉比。他說：「上帝給了我一個醜閨女，我的心情很沉重。」

「有多醜？」這位先知問。

「如果她和一條鯡魚擺在同一個盤子裡，你都分不清哪個是她，哪個是魚。」

克拉科夫的先知想了許久，終於問道：「是哪種鯡魚？」

該人被問得一愣，很快想了想說：「呃，是俾斯麥醃魚。」

拉比說：「太糟了，如果是滷汁醃魚，她還可能有點機會。」

這個故事講的是像美貌這種稍縱即逝的事物的悲劇性。那個女孩真的像條鯡魚？怎麼不會？你近來沒見過那些東西走來走去，尤其是在度假勝地？即便她像鯡魚，在上帝眼裡，所有造物難道不都很美嗎？也許吧。不過，倘若一個女孩子待在滷汁玻璃罐裡比身穿晚禮服更自然，那她的問題就大了。奇怪的是，據說希梅爾拉比本人的太太長得像烏賊，但只是臉比較像，而且她不斷地乾咳，彌補了這一相貌上的缺陷，甚至彌補得有些過分——其中的含意我無法理解。

＊＊＊

茲維．查姆．伊斯羅拉比是研究《摩西五經》的東正教學者，把發牢騷昇華為一種西方前所未聞的藝術。希伯來兄弟們（占當時人口總數百分之一的十六分之一）恭稱他為文藝復興時期最有智慧的人。一次，正值猶太人紀念上帝背棄所有承諾的神聖節日，他前往猶太教堂。一位婦女在路上攔住他問道：「拉比，我們為什麼不能吃豬肉？」「我們不能吃嗎？糟糕！」拉比驚訝之際說道。

哈西德文獻中有幾個小故事提到希伯來律法，這就是其中之一。拉比知道自己不該吃豬肉，可他覺得無所謂，因為他喜歡豬肉。他不僅喜歡豬肉，而且還特別喜歡玩復活節彩蛋。總之，他對傳統教義毫不在乎，把上帝與亞伯拉罕立下的契約看作是「無稽之談」。希伯來律法為何禁食豬肉，至今尚不清楚；有些學者認為，《摩西五經》只是提議某些餐館的豬肉不要吃。

＊＊＊

維捷布斯克的鮑梅爾拉比決定絕食抗議，因為法律禁止俄國猶太人在貧民區外穿帆船鞋。這位聖徒在一塊粗硬的木板上一躺就是十六個星期，兩眼盯著天花板，拒絕任何食物。學生們都很擔心他的性命。忽一日，一位女子來到他床邊，湊近這位學者問道：「拉比，以斯帖的頭髮是什麼顏色？」拉比艱難地轉過身，面朝她。「瞧她選了個什麼問題！」他說。「你知道十六個星期粒米未進是多麼頭痛的事情嗎？」聽到此話，拉比的學生們就把她送到外面的蘇克棚之中。在棚屋裡，她手捧羊角碗大快朵頤，一直吃到她接到賬單。

這個故事巧妙地談及了自尊和自負兩個問題，似乎還暗示絕食是個大錯誤，特別是在肚子空空如也的時候。人的不幸不是自釀的，是上帝的旨意，至於上帝為何這麼喜歡讓人受苦，我是一點也不懂。一些東正教教派相信，受苦是人們贖罪的唯一途徑。有學者也寫過一個名為「虔誠」的教派，特意到處去撞牆。據摩西經文的後幾部書稱，上帝是仁慈的，雖然仍有許多話題他不願多講。

＊＊＊

贊斯的伊克爾拉比曾擁有世界上最好的字典，直到一個異教徒偷走了他能發出共鳴的內衣。拉比連續三天晚上夢到，如果前往沃爾基將會找到大量的寶藏。拉比告別妻小，約定十天之後返回，便上了路。兩年後，人們見到他在烏拉爾山一帶遊蕩，還與一隻熊貓有了感情。拉比飢寒交迫，被人送回家中。家人給他端來熱騰騰的湯和牛排，讓他填飽了肚子。飯後他講述了自己的經歷：離開贊斯三天後，他遭到一群野蠻游牧人的襲擊。他們得知他是猶太人之後，就逼他修改他們的運動夾克，再把他們的褲子改小。這種羞辱似乎還不夠，他們還在他耳朵裡抹上酸奶油，用蠟封死。拉比最後逃了出來，跑向最近的一個鎮子，卻誤入烏拉爾山，因為他羞於張口問路。

拉比講完便站起身進臥室就寢，瞧，原來他夢寐以求的寶藏就在枕頭底下。他欣喜若狂，跪下感謝上帝。三天後他又在烏拉爾山遊蕩，這次他穿了一身兔子裝。

這個短篇傑作充分說明神秘教義的荒誕不經。拉比連續三個晚上做夢。《十誡》減去《摩西五經》，便剩下五部經書。再減去雅各和以掃兄弟，則餘下三部。正是這種推理方式致使偉大的猶太教神秘主義者以佐克．班．李維拉比在阿奎達特賽馬場連續五十二天贏得孖寶[13]，卻還是要靠救濟金過活。

13 孖寶（Double）：賽馬的投注形式，「孖寶」為香港用語，意即「雙寶」。指在指定之兩場賽事中，每關均選中第一名馬匹。

戈西奇—瓦德揚往來書信

The Gossage-Vardebedian Papers

親愛的瓦德揚：

我今天相當懊惱，因為早上查看信件時發現，我九月十六日的信因一點小差錯給退了回來，信的內容是我的第二十二步棋（騎士走至e5）。之所以被退回，是因為信封上未寫你的姓名和地址（心理分析師會怎麼解讀呢？），還忘了貼郵票。近來波動不定的股市令我心緒不寧，這已經不是秘密；而且就在九月十六日，長期的螺旋下滑達到新低，AAM股票被永久性摘牌，一下子把我的經紀人逼到只能吃得起豆子的地步；我不會以此作為我巨大失誤的藉口。我出錯了，請原諒。你未能注意到此信遺失，說明了你也有些困窘不安，我將此歸因於熱情。蒼天有眼，我們都會犯錯。生活如此，西洋棋也如此。

好了，錯誤已經擺明，下面略加糾正。請把我的騎士移至e5，這樣我們就可以更準確地繼續我們的小棋局。公平而論，今早你信中宣布的將軍，恐怕只是虛張聲勢；你若參照今天的情況重讀棋盤，就會發現要被將軍的是你的國王，它周邊無子，毫無防衛，動彈不得，成了我兩個凶猛的主教的攻擊目標。微型戰爭的變幻無常，多麼諷刺！命運扮成死信辦公室[14]攔阻了那封信；瞧！一下子就逆轉了棋局。再次對我的疏忽向你致以最誠摯的歉意，並急切等候你的下一步棋。

下面是我的第四十五步棋：我的騎士擒獲你的后。

此致

戈西奇

戈西奇：

今早收到大函，其中你出了第四十五步棋（你的騎士吃我的后？），還長篇大論解釋九月中旬我們之間通信的疏漏。看我對你的解釋是否理解得正確無誤：因二十三步棋之前一封信的丟失，現在你聲言，幾周前被我消滅的騎士要占據e5的位置。我不知道有發生如此意外，只清楚記得你出了第二十二步，你的城堡移到d3，接著因為你悲劇性的失誤被屠殺。

現在，e5位置是我的城堡，而且你已經失去了騎士（把死信辦公室撇在一邊），我不明白你用什麼吃我的后。你的大部分棋子都給堵住了，我覺得你的意思是要把你的國王走到c4（這是你唯一的選擇）。這是我自行做的調整，並為此走出今天的一步，第四十六步：吃你的后，

14 死信辦公室（dead-letter office）：處理無法投遞郵件的郵政系統。

將你的國王。這樣，你的信就清楚多了。

我想，現在可以平順快速地走完剩下的幾步了。

此致

瓦德揚

瓦德揚：

剛讀完你新寄來的信，裡面提出甚是怪異的第四十六步棋，要把我的后從棋盤上吃掉。可這十一天來，我的后根本就沒在那個位置上。經過耐心計算，我想我摸清了你誤解現實的根源。你說你的城堡占據e5，這就如同說有兩片一模一樣的雪花，毫無可能。你如果回想一下開盤後第九步棋，就會明白你的城堡早已束手就擒。也正是那次犧牲局部的大膽奔襲，我突破了你的中堅地帶，廢了你的兩個城堡。現在，這兩個棋子還在棋盤上幹什麼？

我描述一下當時的情景供你參考：走到第二十二步時，激烈的攻防令你你有點亂了方寸，你急於守住陣腳，卻沒注意到我通常的來信未寄到，結果你連動了兩個棋子，不大公平地占了一點便宜，是不是？現在木已成舟，回復我們之前的步驟即便可行，也很困難。因此若要講求公平，我覺得糾正這整件事的最佳辦法就是讓我連走兩步。

首先，我用兵吃掉你的主教，如此你的后就失去屏障，我也將其拿下。現在，我們可以順利進入尾聲了。

此致

戈西奇

又及：我隨信附上一張棋盤圖，顯示各個棋子的確切位置，好引導你走完這盤棋。如你所見，你的國王陷在中間，孤立無援。祝好。

G

戈西奇：

今天收到你的信。信中語無倫次，我想我能看出你的困惑之處。從你附來的棋盤圖來看，顯然在這六周時間裡，我們倆下的是完全不同的棋局。我的棋局是根據我們之間的通信來走，你的則是一廂情願地隨意而走，而不是按照理性的順序進行。所謂遺失的信中提到的騎士走法，在第二十二步根本毫無可能，它已經在棋盤底端了，若按你的走法，就會跳到棋盤外的桌子上。

至於准許你連走兩步，彌補所謂遺失的信中錯過的一步，你肯定是開玩笑，老頭子。我允許你走第一步（你吃掉我的主教），但不能讓你走第二步。因為現在該我走了。我的城堡殺回來吃掉你的后。你跟我說我沒有城堡了，事實上這毫無意義。我只要看一眼棋盤，就能看到我的兩個城堡正在運籌帷幄，所向披靡。

最後，你編造的棋盤圖表明，你是用馬克斯兄弟的方式在隨意發揮；這雖然有趣，但也很難說明你掌握了《尼姆佐維奇論西洋棋》的真髓。那本書還是你塞在毛衣從圖書館「借」來的，別抵賴，我看見了。我建議你研究一下我附上的棋盤圖，按此重擺你的棋盤。或許我們能比較精準地把棋下完。

此致

瓦德揚

瓦德揚：

我不想拖延這件早已混亂不堪的事情（我知道你最近患了病，本來強壯的身體垮了下來，使你與現實世界產生了一定的隔閡），可是我必須借此機會理清我們這攤爛事，免得越陷越深，不可挽回，出現卡夫卡式的結局。

我若知曉你無此大度，允我走兩步來扯平，便不會在第四十六步用兵吃掉你的主教。實際根據你畫的圖，這兩個棋子所占的位置顯示這根本不可能，畢竟我們遵循的規則是國際西洋棋聯盟的章程，而不是紐約州拳擊委員會。我並不懷疑你打算拿掉我的后是出於良好動機，但聽我一言：你擅自決定，獨斷專行，用說一套做一套和攻擊他人的手法來掩飾棋術上的失誤，只能招致災難——幾個月前，你還在《薩德與非暴力》一文中斥責當今各國領導人身上的如此陋習。

不幸的是，棋局已經停不下來，我也無法確切算出你應該把那個偷來的騎士放在哪裡；所以我提議由我閉上眼，把棋子扔到棋盤上讓諸神決定，落在哪裡就是哪裡。這倒也會給我倆的對弈添加點趣味。我的第四十七步棋：我的城堡吃你的騎士。

此致

戈西奇

戈西奇：

你的前一封信真奇特！信中意圖良好，簡明扼要，包含了在不同的參考團體之間溝通的元素，但通篇充斥尚－保羅．沙特所謂的「虛無」。讀來馬上能感受到一種深深的絕望，讓人聯想到注定失敗的北極探險家遺留在極地的日記，或是德國士兵在史達林格勒前線寫的家書。當偶爾面對黑色真相時，人的思辨能力便喪失殆盡，慌亂不堪，非要證明幻影的存在，躲避所有可怕的現實；真有意思！

朋友，儘管如此，我還是花了大半個星期的寶貴時間，弄清楚你信裡這堆烏煙瘴氣的瘋狂託辭，做出調整，好順利下完這盤棋局。你的后已去，跟它吻別吧。你的兩個城堡也不在了。忘掉主教，我把它吃掉了。另一個主教遠離棋局的主戰場，別指望它了，免得你傷心透頂。

至於你已經失去但仍拒絕放手的騎士，我把它放在唯一可以放的位置，因此，算是給了你一種自波斯人發明這種小樂趣以來最難以置信的非分之想。它正位於c7，你要是能勉強打起一點精神來，好好看看棋盤的話，就會注意到你這顆不願放手的棋子，現在又擋住了你的國王逃脫我鐵鉗圍攻的唯一出路。你的陰謀反讓我占了上風，太精彩了！你的騎士乞求回到棋盤上來，卻攪了你的大局！

我的下一步是：后至b5。預計再下一步是將軍。

此致

瓦德揚

瓦德揚：

顯然，為這一系列毫無希望的布局做辯護而造成緊張感，使得你脆弱的神經器官變得遲鈍，難以清晰地把握外部世界。你讓我別無選擇，只得迅速仁慈地了結這場棋局，給你減壓，免得讓你終身殘疾。

騎士，是的，騎士進至e6。將軍。

戈西奇

戈西奇：

主教至e5。將軍。

抱歉這場戰局令你難以承受；幾名當地的西洋棋大師觀摩我的棋藝後都變得精神失常了，希望這能給你一些安慰。你要想再來一局，我提議玩拼字遊戲，這是我最近迷上的遊戲。也許我不會太輕易取勝。

瓦德揚

瓦德揚：

城堡至g8。將軍。

我不打算用我將軍的細節折磨你，因為我認為你基本上還算誠實

（總有一天，某種治療方式會證明我的判斷）。我誠意接受你的邀請。拿出你的遊戲組合。既然下西棋時你選白色先攻（若早知你能力有限，我就會多讓你幾個棋子），所以這次由我先走。我剛剛摸出的七個字母是：O、A、E、J、N、R和Z。一堆無望的字母，連最有猜疑之心的人都會肯定，抽取字母時我誠實無欺。然而，幸好我掌握的詞彙豐富，加上喜歡探索奧秘，能夠把識字不多的人眼裡的一團雜亂字母組成前後有序的單詞。我的第一個詞是「ZANJERO」。到辭典裡查查看。現在，我把此詞橫著擺放。「E」擺在圖板的正中間。請仔細算一下，別漏過要給第一個拼詞的記分加倍，七個字母都記五十分。於是，開局比分是一百一十六比零。

該你了。

戈西奇

胖子手記

Notes from the Overfed

（飛機上接連讀了杜斯妥也夫斯基和《窈窕身材》雜誌之後寫就）

我是個胖子，胖得讓人惡心。據我所知，沒人比我更胖了。我全身除了肉沒有其他東西。我的手指頭胖，我的手腕胖，我的眼睛也胖。（你能想像眼睛胖嗎？）我超重好幾百磅，身上的肉像熱乎乎的乳脂從聖代流淌下來。我的腰身誰看了都不敢相信。毫無疑問，我是個真正的胖子。好了，讀者可能會問，身材長得像個大圓球有何好處，有何弊端？我不想開玩笑，也不想閃爍其詞；但我必須說，肥胖本身與資產階級道德觀無關，只是肥胖而已。當然，說肥胖本身也有價值，肥胖是個罪惡，或讓人可憐，這都是笑話，都很荒唐！肥胖是什麼？無非是肥肉的堆積。肥肉是什麼？只不過是細胞的總和。一個細胞有道德含意嗎？一個細胞屬善還是屬惡？管他呢，細胞太微小了。朋友，我們絕不應區分什麼是善肉，什麼是惡肉。我們必須努力習慣於在碰見胖子時，不做任何判斷，不去想這個人是個一流的胖子，還是個下流的胖子。

比方說K。這個傢伙胖成了肥豬，若不用撬棍，平常連門口都穿不過去。他不脫光衣服、渾身塗滿奶油，就根本別想在一般住宅中從一個房間轉到另一個房間。他一定受到過街上小混混的嘲諷，我也一樣。他一定經常聽人喊他「圓仔」或「大胖子」，並為此心驚膽戰。在米迦勒節前夜，家鄉的首長當著眾多貴賓的面朝他說：「你這一大碗蕎麥片！」他一定傷心透了。

一日，他再也無法忍受了，開始節食。是的，節食！先是斷了甜食，然後是麵包、美酒、澱粉、香腸，總之，他放棄了讓他非得雇人幫忙才能繫上鞋帶的那些食品。他漸漸地瘦了下來。一團團肥肉從胳膊、大腿上消失了。先前他圓滾滾的，現在他以正常體態出現在眾人面前，甚至可說是很有魅力的身材。他看上去比誰都高興。我說「看上去」，是因為十八年後，他臨近死期，瘦弱得全身得發熱；有人聽他喊道：「我的肥肉！給我拿回來！求求你們，我要肥肉！給我來點肥肉吧！我真傻，減掉了自己的肥肉！我肯定是跟魔鬼打了交道。！」我想，這個故事的含意太明顯了。

好了，讀者可能會想，你既然這麼肥胖，為何不去馬戲團？我可以告訴你，但我可真是不好意思：因為我出不了家門。我出不了門，是因為我穿不上褲子。穿不上褲子，是因為我的腿太粗。這都是因為我吃掉了比第二大道販賣的還多的醃牛肉——可以說，每條腿大約是一萬兩千個醃牛肉三明治貢獻出來的。而且三明治不全是瘦肉，儘管我有特別叮嚀。有一件事確定無疑：如果我的肥肉能講話，大概要講述一個人刻骨的孤獨，喔，或許還加上關於如何疊紙船的額外說明。我身上的每一磅肥肉都想講話，我臉上重疊了十幾層的下巴也想講話。我的肥肉是很奇特的肥肉，它見過不少世面。我的小腿就曾歷盡滄桑。我的肥肉雖不快活，但不是假的，而是真的肥肉。假肥肉是最差勁的肥肉，雖然我不清楚商店裡是否還賣。

不過，讓我來講講自己變胖的事。我並非一直如此。讓我變得肥胖的是教會。曾有一度我也很瘦，相當的瘦。實際上，我瘦到要是叫我胖子，那人一定是眼睛有問題。就這樣，直到有一天，我想是我二十歲生日，我正和叔叔在一家好餐館喝茶吃脆餅；突然，我叔叔提出個問題：「你信上帝嗎？」他問道：「你要是信的話，知道上帝有多重嗎？」說罷，他舒舒服服地長吸了一口雪茄。而他剛擺出一副躊躇滿志的樣子，就突然大咳起來，我甚至以為他會吐血。

「我不信上帝，」我告訴他，「你說說，要是有上帝，為什麼有人窮困，有人禿頭？為什麼有人一生都百病不侵，有人卻頭痛好幾星期？為什麼我們的日子以數字計，而非以字母計？叔叔，你倒是回答呀，還是你被我問住了？」

我知道這麼說沒問題，因為我叔叔從來沒被什麼事給嚇住過。他曾見過他西洋棋老師的母親遭土耳其人強姦，如果不是過程太久，他甚至會覺得很有趣。

「好侄子，」他說，「不管你怎麼想，上帝是存在的。上帝無處不在。是的，無處不在！」

「無處不在？你都不確信我們自己是否存在了，怎麼知道上帝存在呢？的確，我現在是摸著你的疣子，但這說不定是場幻覺？難道所有生命不都是場幻覺嗎？說實在的，東方不是有某些聖人相信除了中央火車站的生蠔餐廳，大腦之外任何事物都不存在？也許我們就是孤獨無助，毫無目的可言，注定要在冷漠的宇宙晃蕩，沒有希望得到救贖，沒有前景，只有苦難、死亡以及永恆空虛這一現實？」

看得出，這番話給我叔叔留下了深刻印象，他對我說：「你知道請你去玩的人為什麼不多嗎？天哪，你太病態了！」他責備我是虛無主義，然後用一種老者的神秘口吻說：「並不是你想到哪裡找上帝，上帝就在哪裡。但是你放心，好侄子，他無處不在。比方說吧，他就在這脆餅中。」說完他就走了，留下了他的祝福，還有一張夠買下一艘航空母艦的賬單。

我回到家，腦子還想著他那句很簡單的話：「他無處不在。比方說吧，他就在這脆餅中。」我昏昏欲睡，心緒不寧，就躺在床上小睡了一會。期間我做了個夢，這個夢將改變我的一生。我夢見自己在鄉村漫步，忽然覺得餓了。或是說，我餓得要死。看到一個餐館，我就進去了，點了一客牛肉三明治和一盤炸薯條。女招待長得像我的女房東（一個極為平庸的女人，讓人立即想起毛茸茸的苔蘚），想誘使我點不大新鮮的雞肉沙拉。我與她講話時，她變成了一套二十四件的銀餐具。我狂笑起來，突然淚水縱橫，又轉為嚴重的耳膜感染。屋裡光芒四射，我看見一個閃光的身影，騎著一匹白色駿馬奔來。原來是我的腳病醫生。我心懷內疚，倒在了地上。

這就是我的夢。醒來時我感到身心舒暢。忽然間我樂觀起來，一切都變得很清晰。我叔叔的話正觸及我存在的核心。我走進廚房大吃起來。我看見什麼吃什麼，蛋糕、麵包、麥片、肉、水果、美味的巧克力、蘸醬的蔬菜、酒、魚、奶油加麵條、閃電泡芙，還有臘腸，總價值六萬多美元。倘若上帝無處不在，我的結論是，他肯定在食物裡。因此，我吃得越多就越像上帝。染上這種新的宗教熱情後，我就狂吃猛吃。六個月裡，我成了聖人之聖，擁有一顆虔誠祈禱的心，以及撐得跨過州界的胃。我最後一次看見自己的腳是在星期四上午的維捷布斯克，就我所知它們現在還在那裡。我吃了又吃，胖了又胖。減少食量將是最蠢的行為，甚至是罪惡！因為，親愛的讀者（假設你不如我這麼碩大的話），我們失去的可能是我們身上最好的二十磅！我們失去的可能是天分、人情、愛情和忠誠的斤兩。或是像我認識的一位督察長，失去的是在臀部周圍不大雅觀的贅肉。

至此，我知道你要說什麼。你會說，這與我先前講的一切都大相徑庭。我忽然講起了中性的肉，講起了價值！是啊，這又怎樣？難道生活不就是與此相同的矛盾嗎？一個人對肥肉的看法可以如季節更迭，頭髮變白，人生變化一樣。因為，生命即是變化，肥肉即是生命，肥肉亦是死亡。你不明白嗎？肥肉是一切所在！當然，除非你胖得超重。

回憶二十年代

A Twenties Memory

我第一次到芝加哥是在二十年代，為的是看場拳擊比賽。我和厄內斯特．海明威在一起，我們倆住在傑克．鄧普西的訓練場。海明威剛寫完兩篇關於職業拳擊賽的短篇小說；葛楚．史坦和我都認為寫得不錯，但也覺得還需要進一步潤色。我拿海明威即將脫稿的長篇小說開玩笑，我們倆笑個不停，甚是有趣。隨後，我們戴上拳擊手套，他就把我鼻子打破了。

那年冬天，愛麗絲．托克拉斯、畢卡索還有我在法國南部租了一棟鄉間別墅。當時，我正在創作我覺得會是美國文壇傑作的小說，但是因為字體太小，沒能完成。

下午，葛楚．史坦與我經常相偕去當地的店鋪淘古董。記得有一次我問她，我是否應該當個作家。她以我們都很著迷、神秘兮兮的特有口吻說：「不應該。」我把這當成了肯定的意思，隔天就乘船去了義大利。義大利令我不時想起芝加哥，尤其是威尼斯，因為這兩座城市都有運河，街上到處是文藝復興時最偉大雕塑家創作的雕像或大教堂。

那個月我們去了畢卡索在亞爾的畫室。此前，那裡曾叫魯昂或蘇黎世，直到一五八九年「含糊」路易統治時期，法國人將其重新命名。（路易是十六世紀的混賬國王，對人十分惡毒。）當時，畢卡索剛開始後來所稱的「藍色時期」，不過，葛楚．史坦和我跟他喝咖啡，致使這個時期的開始晚了十分鐘。「藍色時期」持續了四年，所以說這十分鐘倒也不算什麼。

畢卡索五短身材，走路時很滑稽，把一隻腳放在另一隻腳的前面，他稱作「邁步」。我們總是對他那些歡快的主意開懷大笑，但是到了三十年代末，法西斯主義日漸崛起，就沒有什麼好笑的了。葛楚・史坦和我非常認真地看了畢卡索的最新作品，葛楚・史坦的看法是：「藝術，所有藝術，都僅僅是要表述某種事物。」畢卡索不同意，說：「別打擾我，我正在吃飯。」我自己的感覺是，畢卡索說得對，他是在吃飯。

畢卡索的畫室與馬蒂斯的不一樣。畢卡索的畫室亂糟糟的，馬蒂斯的則井然有序。奇怪的是，實際情況卻是相反。那年九月，馬蒂斯受委託畫一幅寓意畫，但因妻子生病未能完成，最後用壁紙頂替。這些事情我記得清清楚楚，因為發生在冬季之前我們住在瑞士北部的簡陋公寓裡；那裡的天氣偶爾會下雨，可是又會突然停下來。西班牙立體主義畫家胡安・格里斯請愛麗絲・托克拉斯做他的人體畫模特兒，一如他典型的抽象風格，他將愛麗絲的臉和身體拆解成最簡單的幾何形狀，直到警察來把他帶走。格里斯是西班牙鄉下人。葛楚・史坦常說，只有真正的西班牙人才會像他那樣：講西班牙語，不時回到在西班牙的家。這真讓人覺得了不起。

我記得一天下午，我們坐在法國南部一間同性戀酒吧，兩腳舒坦地搭在法國北部的凳子上。葛楚．史坦忽然說：「我有點惡心想吐。」一畢卡索認為這挺滑稽，馬蒂斯和我則把這當作前去非洲的暗示。七個星期之後，我們在肯亞碰見了海明威。他曬得黑裡透紅，留起鬍子，開始形成他描述眼睛和嘴巴的那種熟悉的樸實文筆。在這個尚無人探索的黑色大陸，海明威勇敢挺過嘴唇無數次的皸裂。

「怎麼樣，厄內斯特？」我問他。他大談死亡和冒險，也只有他能談這些。待我醒來時，他已經搭好了帳篷，坐在一個大火堆旁給我們大家烤美味的香腸。我拿他新蓄的鬍子開起了玩笑。我們一邊笑，一邊喝著白蘭地。然後，我們戴上拳擊手套，他就把我鼻子打破了。

那年我第二次去巴黎，與一位消瘦而焦慮的歐洲作曲家交談。側看上去他的臉部像隻鷹，眼睛十分機敏。後來他成了伊戈爾・史特拉文斯基，再後來又成了他自己最要好的朋友。我住在曼・雷家，薩爾瓦多・達利幾次前來和我們共進晚餐。達利決定舉辦一次個人畫展。畫展取得了巨大成功，因為確實只有一個人前來參觀[15]。那是我們在法國度過的一個歡快美好的冬天。

我記得一天晚上，史考特・費茲傑羅和夫人從新年晚會回家。當時已是四月。三個月來，除了香檳，他們不吃不喝。就在一個星期前，他們身穿晚禮服參加試膽比賽，結果把大轎車開下九十英尺深的懸崖，衝進了海裡。費茲傑羅夫婦有些事情是確確實實的；他們的價值觀很普通，他們也很謙遜，當格蘭特・伍德要這夫婦倆為他的畫作《美國哥

15 個人畫展（one-man show）有一個人前來參觀（one man showed up），因此大為成功。此處是作者玩的文字遊戲。

德》當模特兒時，我記得他們倆真是受寵若驚。澤爾達告訴我說，畫畫期間他們坐著，費茲傑羅不停地把乾草叉弄倒。

隨後幾年，我與史考特越來越親近。我們大多數朋友認為史考特最新小說的主人公就是以我為原型，而我的生活又以他的前一部小說為模板；最後，我被小說中的一個人物告上了法庭。

史考特在自律方面很有問題。我們都仰慕澤爾達，但也都認為她給他的創作帶來了不好的影響，使他從一年一部小說減至偶爾寫個海鮮菜譜還有一堆逗號。

最後，一九二九年，我們一起去了西班牙。海明威介紹我們認識了敏感得像個女人似的馬諾萊特。

那年，我們在西班牙玩得很開心，我們旅行、寫作；海明威帶我去釣金槍魚，我釣到了四罐。我們大笑不已。愛麗絲・托克拉斯問我是否愛上了葛楚・史坦，因為我把一部詩集獻給她，雖然那是T・S・艾略特的詩集。我說是，我愛上了她，但這絕不會有結果，因為對我來說她太聰明了。愛麗絲・托克拉斯表示同意。然後，我們就戴上拳擊手套，葛楚・史坦把我鼻子打破了。

德古拉伯爵
Count Dracula

在外西凡尼亞某處，吸血鬼德古拉伯爵躺在棺材中，等待夜幕降臨。由於曝曬在陽光下會令他殞命，他待在以布幕隔絕的房間裡，布幕用銀線袖著他的家族名稱。夜色降臨時，這個惡魔憑著某種神奇的本能，從其藏身之處現身，化身為蝙蝠或惡狼，到鄉間吸食受害者的血。最後在其天敵射出第一縷光線，宣告新的一天到來之前，他便匆忙返回安全藏身的棺材睡覺；每天就這樣，周而復始。

此時他開始翻身。他的眼皮微微顫動，這是一種長年積累、無法解釋的本能，是對太陽即將下山、他行動的時間即將到來的反應。今夜他餓意尤深，他躺著，現已經完全醒來，身穿鑲著紅邊、後綴燕尾的長披風，以其神秘莫測的感知等待黑夜降臨的那一刻。在打開棺蓋現身之前，他盤算著今晚誰將遭殃。該麵包師和他老婆了，他心想。多汁可口，就住附近，也沒有疑心。他一直煞費苦心，使這對毫無防範的夫婦對他建立了信任，一想到此，他的嗜血欲望讓他備受煎熬，恨不得馬上爬出棺材中去尋找他的獵物。

突然，他感覺到太陽下山了。如同來自地獄的使者，他迅速起身變作一隻蝙蝠，匆匆飛向那滿是誘惑的受害者的農舍。

「啊，伯爵，真是個驚喜，」麵包師老婆說，打開門把他讓進屋。

（他重又化作人形，風度翩翩地掩飾了他的嗜血圖謀。）

「什麼風這麼早把您刮來了？」麵包師問。

「我們約好吃晚飯的，」伯爵回答說，「我希望沒記錯。你請我今晚來吃飯，對嗎？」

「對，是今天晚上，可是還有七個小時呢。」

「什麼？」伯爵環顧四周，有點迷惑地問道。

「是來跟我們一起看日食的吧？」

「日食？」

「對，今天有日全食。」

「什麼？」

「從中午開始，也就變黑一會，兩分鐘後就好。你看看外面。」

「噢，壞了，大事不好。」

「呃？」

「請原諒……」

「什麼，德古拉伯爵？」

「我得走了，啊，天吶……」他急匆匆地摸找門把手。

「走？可是您才剛來。」

「是，可是，我想我完全搞砸了……」

「德古拉伯爵，您臉色發白。」

「是嗎？我得呼吸點新鮮空氣。很高興見到你們。」

「來，請坐。我們喝一杯。」

「喝一杯？不行，我得走了。呃，你踩到我的披風了。」

「是啊，別著急。來點酒。」

「酒？不行，我戒酒了。你知道我肝不好。我真得走了。我剛想起來，離開城堡時忘了關燈。電費太貴了……」

「別客氣嘛，」麵包師說著，伸出胳膊緊緊摟住伯爵的肩膀，那麼誠心誠意。「您太客氣了，根本沒打擾我們。既來之則安之。」

「真的，我很希望留下來，但城裡面要召開羅馬尼亞老伯爵大會，我負責冷盤。」

「真是忙，忙，忙。您不得心臟病才怪呢。」

「是啊，對，現在——」

「今晚做雞肉手抓飯，」麵包師老婆插話說，「希望您喜歡。」

「太好了，太好了，」伯爵說。他笑著把她推到一堆要洗的衣服上。接著，他胡亂打開一扇壁櫥門鑽了進去。「天哪，這鬼前門在哪裡？」

「哈，伯爵真是逗趣。」麵包師老婆笑了起來。

「我知道你喜歡這樣，」德古拉勉強笑了一下，「好了，別擋路。」說罷，他終於打開了前門，但是，他已經沒時間了。

「嘿，孩子的媽，」麵包師說，「你看，日食一定過去了。太陽又出來了。」

「說得對，」德古拉把前門使勁一關。「我不走了。快把窗簾拉下來。快點！別呆愣著！」

「什麼窗簾？」麵包師問。

「你們沒有，對吧？你們這些人。這地方有地下室嗎？」

「沒有，」麵包師老婆和善地說，「我總是跟亞斯洛夫說要有個地下室，可是他從來不聽。我丈夫啊，就是這樣的人。」

「我喘不上氣來了，壁櫥在哪？」

「您剛進去過，德古拉伯爵。我和孩子的媽還笑過您呢。」

「啊，這個伯爵真有意思。」

「嘿，我到壁櫥裡去了。晚上七點半再敲門叫我。」語畢，伯爵鑽進壁櫥，使勁關上門。

「嘻嘻，他真是逗趣，亞斯洛夫。」

「喂，伯爵，出來吧。別犯傻了。」

壁櫥裡傳出德古拉悶悶的聲音。「辦不到——拜託——相信我。就讓我待在這吧。我沒事，真的。」

「德古拉伯爵，別鬧笑話了。我們笑得都快喘不上氣了。」

「跟你們說吧，我喜歡這壁櫥。」

「是啊，可是……」

「我知道，我知道……這有點怪，可是我在這高興極了。有一天我還跟赫斯夫人說過，給我一個好壁櫥，我就能在裡面待上幾個小時。可愛的女人，赫斯夫人。有點胖，但可愛……好了，你們何不去忙別的事，日落後再來找我。噢，拉夢娜，啦啦啦，啦啦啦，拉夢娜……」

這時，市長和他的夫人卡蒂婭到了。他們正好路過此地，決定來拜訪好友麵包師夫婦。

「你好，亞斯洛夫。我和卡蒂婭沒打擾你們吧？」

「當然沒有，市長先生。進來。德古拉伯爵，有客人了！」

「伯爵在這裡？」市長驚訝地問。

「在，可是你絕猜不出他在哪裡，」麵包師老婆說。

「很少在這麼早的時候見到他。我不記得曾在白天見過他。」

「好啊，他就在這裡。德古拉伯爵，出來吧！」

「他在哪？」卡蒂婭問道，也不知是該笑還是不該笑。

「出來吧！別躲了！」麵包師老婆有點不耐煩了。

「他在壁櫥裡，」麵包師帶著歉意說。

「真的？」市長問。

「出來吧，」麵包師說，敲著壁櫥的門，「夠了夠了，市長在這裡。」

「出來吧，德古拉，」市長喊著，「我們來喝一杯。」

「不了，你們先喝。我在這有點事。」

「在壁櫥裡？」

「是。我不打擾你們。我能聽見你們說什麼。我想說什麼，也會告訴你們。」

幾個人相互看看，聳了聳肩。酒倒好了，他們開始喝酒。

「今天的日食真厲害，」市長喝了一口酒。

「是啊，」麵包師點頭，「想不到。」

「對啊，夠刺激，」壁櫥裡傳出了聲音。

「什麼，德古拉？」

「沒什麼，沒什麼。別在意。」

就這樣過了一陣子，市長再也忍不住，要強行打開壁櫥門。他喊道：「出來吧，德古拉。我一直以為你很成熟呢。別胡鬧了。」

陽光直射進來。這個惡魔尖叫了一聲，就在四個人眼前慢慢變成一具骷髏，化成灰塵。麵包師老婆俯身去看壁櫥地上的那堆白粉，大聲說：「這是不是說，今晚的飯局取消了？」

麻煩請大聲點
A Little Louder, Please

要知道，眼前跟你打交道的，可是在科尼島上坐一趟雲霄飛車就把《芬尼根的守靈夜》一口氣看完的人；而且還在猛烈的顛簸甩掉我嘴裡銀質牙套的情況下，輕而易舉地窺探到喬伊斯的奧秘。還有，我這個人屬於極少數人之列，能從現代藝術博物館裡展出的被砸扁的別克轎車中，當即看出細緻入微的色彩層次和色調的交相作用；當初，奧迪隆·雷東若是丟掉模稜兩可的纖細畫筆，改用廢車壓床，說不定就能達到這一效果。另外，女士們，是我首先用獨到的見解準確詮釋了《等待果陀》，令許多一頭霧水的觀眾恍然大悟；不然的話，這些觀眾只能在中場休息時緩緩遊蕩，氣惱花了大錢買黃牛票，卻連一首流行音樂或是滿身亮片的豐滿女郎也沒有。不得不說，我可是精通各種當代藝術。除此之外，八家電台在市政廳同時採訪可把我累壞了。而且下班後我還偶爾帶著自己的「飛歌」[16]，到哈林區一間地下室播些晚間新聞和氣象預報。有個沉默寡言、一輩子從未念過書的農場幫傭傑西，有一次竟也能飽含感情地播報最新的道瓊指數，那次可真是觸及心靈。最後，關於我的才情，一言以蔽之，我是各類活動以及地下電影首映會的常客，還是《影像與潮流》的撰稿人。這是一份專講電影理論和淡水釣魚的高深季刊。倘若這些還不足以給我冠上才子美名的話，老兄，那我可沒話說了。然而，儘管我豐富的洞察力有如華夫餅上的楓糖滿滿溢出，我近來仍意識到我有個文化素養上的阿基里斯腱，從腳跟經過大腿，直達後腦勺。

這開始於去年一月的某一天。當時我正站在百老匯的麥金尼酒吧裡，大口吃下一塊世界上最豐厚的乳酪蛋糕，同時承受著歉疚感，幻想著膽固醇凝成一個大硬塊死死堵住了我的主動脈。我身邊站了一位令人神魂顛倒的金髮女郎，她那黑襯衫下曲線起伏的光滑身材，足以誘使一位童子軍變成色狼。過了五十五分鐘，我和她的關係仍僅僅以「請遞一下調味瓶」作為主旋律，儘管我好幾度試圖採取行動。她也確實把調味瓶遞了過來，為證明我的要求是確有其事，我只好往蛋糕上撒一點。

「我想雞蛋的期貨價格上漲了。」我終於鼓起勇氣開口，一副漫不經心，把公司兼併當作副業的樣子。沒注意到她的搬運工男友恰在此時進來，就站在我身後，時機把握得跟勞萊與哈台一樣好。我色迷迷地朝她看了一眼，記得開了兩句關於克拉夫特・艾賓[17]的笑話，便失去了知

16 飛歌（Philco）：研發收音機、電視的先鋒廠牌。在此應是指其生產的播音器材。
17 克拉夫特・艾賓（Krafft Ebing，1840-1902）：奧地利性學家。

覺。接下來我只記著自己沿著大街奔跑，好躲避那位捍衛女孩名聲的西西里鄉親的怒火。我躲進一家又黑又冷的新聞紀錄片電影院，靠著兔寶寶的絕技以及三顆利眠寧我才恢復了神志。正片開演，原來是描述新幾內亞叢林的影片。要說能引起我多少興致，這種片子簡直與《苔蘚的形成》和《企鵝的一生》能有一比。片中的旁白低沉而單調：「生活在今天的人與數百萬年前毫無兩樣。他們獵殺野豬（野豬的生活水準似乎也沒有顯著提高），晚上則圍坐在篝火旁，打著默劇手勢重述白天的經歷。」默劇，對了，我頓時清醒過來。這正是我文化盔甲上的裂縫——唯一的弱點，自童年起就一直困擾著我。小時候曾看過一齣果戈里《外套》的默劇，我全然不懂，還以為是十四個俄國人在跳健美體操。默劇對我而言一直是個謎——這個我選擇遺忘，一度令我難堪之物。現在這個弱點又冒了出來；令我懊惱的是，依舊和以前一樣糟糕。我根本就看不懂大受眾人吹捧的馬歇・馬叟小品默劇，也就更看不懂片中新幾內亞土著的瘋狂手勢。銀幕上，那位叢林土著手舞足蹈逗引他的同伴，最後他用厚實的手掌接過了部落長老發的領款通知。整個過程中我如坐針氈，最終垂頭喪氣地溜出了電影院。

那天晚上回到家，我對自己的缺點還念念不忘。事實很清楚殘酷：我對各門藝術領域都十分精通，可是就這一個晚上，明明白白地把我歸到了詩人馬克漢姆筆下的農人之列——遲鈍、麻木，簡直就是老牛一樣的大老粗。我開始生悶氣，可是大腿背側發緊，不得不坐下來。我琢磨著，還有什麼是比默劇更基礎的交流方式嗎？這種普遍流行的藝術形式為何人人都懂，只有我除外？我又開始生悶氣，但這次真的發洩出來。我住的是個安靜的街區，沒幾分鐘，十九分局的兩個條子就趕來，告訴我乾著急要罰款五百元，或是拘留六個月，或是兩者並罰。我跟他們道了謝後直奔被窩，我原本想用睡覺來忘卻這可惡的缺陷，結果卻徹夜焦慮了八個小時。我想連馬克白也不至於如此。

幾週之後，我在欣賞模仿藝術的缺點又有一例，令我寒心。兩周前我聽無線電廣播時猜出歌手艾斯特燕西的歌喉，贏了兩張免費戲票。猜獎的頭獎是一輛賓利轎車，我興奮極了。為了馬上打電話給節目主持人，我一絲不掛從浴盆裡奔出，一隻濕手抓起電話，另一隻濕手想把收音機關掉，結果我衝上了天花板，又給彈了下來，周圍好幾里的電燈都滅了，就好像小路易斯[18]坐上電椅時一樣。繞著屋頂大吊燈轉第二圈時，我迎頭撞上了路易十五式書桌上一個敞開的抽屜，嘴上立刻隆起一座亮晶晶的小丘，臉上也留下了鮮艷的印記，看上去如同被洛可可式華麗餅乾壓模碾過的模樣，而且頭上隆還起了一個海鳥蛋那麼大的包。我頭暈目眩，只得屈居馬祖斯基夫人之後，打消賓利轎車的美夢，接受兩張外百老匯的免費戲票。票上印著一位國際知名默劇藝術家的名字，這使我的熱情一下子降到了極地冰冠的溫度。不過我決定去看演出，希望這次能交上好運。僅剩六周時間了，可是我仍找不到一位同去的女伴。

我乾脆把多餘的一張票送給為我擦窗戶的拉斯。拉斯是個嗜睡、反應有如柏林圍牆般遲鈍的粗活工人。起先他以為這張橙黃色的小紙片能吃，我跟他解釋說這是默劇的戲票，他聽了感激不盡；這是除了失火之外，他有可能看懂的少數幾種場景之一。

演出那天晚上我身披斗篷，拉斯手提水桶，我們從一輛老式黑白格子計程車分頭下來，沉著自信地走進戲院，大搖大擺地走到座位。我有點緊張地研讀節目單，開場短戲是個題為《去野餐》無聲小品。開演時，一個瘦小的人走上台，臉塗得跟麵粉一樣白，身上穿著黑色緊身連衣褲。這是標準的野餐裝束——去年我去中央公園野餐時也是這身打扮，除了幾名惡少把這當作修理我的信號，就無人理睬。台上的演員

18 小路易斯（Louis "Lepke" Buchalter，1897-1944），美國首位以謀殺罪名判決死刑的黑幫頭目。

攤開野餐毯，我以前的困惑馬上又出現了。他要麼是在攤開毯子，要麼是給一頭小山羊餵奶。接著，他動作誇張地脫了鞋，可我卻弄不清楚那是不是他的鞋；因為他拿起一隻鞋喝水，又把另一隻寄到了匹茲堡。我說的是「匹茲堡」，但實際上很難用默劇手勢表現出「匹茲堡」這一概念。現在回想起來，我覺得他的意思根本不是匹茲堡，而是一個人駕著高爾夫球車穿過一道旋轉門，或許是兩個人在拆卸一台印刷機。這和野餐有何相關，我一竅不通。隨後，演員又開始整理一堆看不見的長方形物件，顯然很沉重，像是一整套《大英百科全書》。我猜他在把這些物件從籃子裡拿出來，從他動作來看，還可以理解為是布達佩斯弦樂四重奏樂隊，不過是被綁起來、嘴巴給塞住的那種。

藉著大聲猜測演員的一舉一動釐清默劇劇情的細節，讓鄰座的觀眾感到驚擾。「枕頭……大枕頭。坐墊？像是坐墊……」這種用意良好的參與，常常擾亂那些真正喜愛默劇的觀眾。我注意到遇到這種情形，我的鄰座就有人借助各種方式表達不滿，有的大聲咳嗽，有的用熊掌般的大手朝我腦後拍過來。曼哈塞特鎮家庭主婦的戲劇晚會上，一個人就曾給過我一巴掌。這一次，一個長得像是伊卡博德．克蘭的富婆，拿著馬鞭似的長柄眼鏡，敲著我的手指頭教訓我說：「小子，輕聲點。」然後把我當作砲彈休克症的大兵，熱心地一字一句耐心解說，默劇演員正在幽默地應對野餐時常會遇到的麻煩：螞蟻，下雨，還有總是忘了帶的開瓶器。我一下子豁然開朗，被懊惱沒帶開瓶器的橋段逗得人仰馬翻，並驚嘆於默劇表演有如此無限的可能性。

最後，演員表演吹玻璃。也許是吹玻璃，也許是給西北大學學生紋身。看上去像是西北大學學生，但也有可能是男子合唱團，或是一台電療機，甚或是已經滅絕成為化石、在遙遠的北極發現的任何四足兩棲食草大型動物的遺骸。到此，觀眾已經被台上的狂亂場面逗得大笑不止。連遲鈍的拉斯也很開心，用清潔窗戶的橡皮刷子擦眼淚。可是我沒希望了。我越看越不懂。一股疲倦感襲來，我乾脆脫下帆船鞋，就此罷休。接下來我只聽到幾個清潔女工喋喋不休地說著滑囊炎的長處和短處。我借助劇場裡昏暗的燈光，定了定神，整了整領帶，前往賴克斯酒吧。我點的漢堡和麥芽巧克力含意十分明瞭，毫不費力就能理解。那天晚上我第一次釋去了愧疚的負擔。直到今天我的文化素養仍有欠缺，但我正在力求彌補。你要是在默劇劇場看到一位藝術鑑賞家擠眉弄眼，坐立不安，還自言自語嘟囔什麼，就過來打聲招呼；不過要趁演出剛開始時打招呼，因為我不喜歡睡著後被人吵醒。

亥姆霍茲對話錄

Conversations with Helmholtz

《亥姆霍茲對話錄》一書行將出版，下面摘選書中幾個片段。

亥姆霍茲博士已年近九十，他與佛洛伊德同世代，是精神分析的先驅，創立了以他名字命名的心理學學派。他最著名的成就或許便是行為實驗，他在實驗中證明了死亡是一種後天獲得的秉性。

亥姆霍茲與男僕霍洛夫及大丹狗霍洛夫住在瑞士洛桑的鄉間別墅。他大部分的時間都在寫作，目前正在修訂他的自傳，好把自己補進去。《對話錄》是亥姆霍茲與其學生費爾斯．霍夫囊之間長達數月的談話紀錄。亥姆霍茲對這位弟子的厭惡簡直無法形容，但又能大度包容，因為這位學生給他帶來果仁糖。他倆的談話涉獵各種題目，從精神分析，到宗教，還有亥姆霍茲為何申請不到信用卡。霍夫囊稱其為「大師」，認為他是個善解人意的熱心人，情願放棄一生的成就，來擺脫身上的皮疹。四月一日：上午十點準時到達亥姆霍茲家。女傭說，博士正在自己屋中整理郵件。我心中著急，錯聽成博士在自己屋中整理「油煎」。結果是，我確實聽對了，亥姆霍茲在整理吃食。他每隻手裡捧著一大把米粒，隨意堆成一個個小堆。我為此向他提問，他說：「噢，要是人們都整理吃食該多好。」他的回答令我困惑，但我覺得最好不再追問下去。他坐進皮椅後，我開始詢問早期精神分析的事情。

「第一次見到佛洛伊德時，我已經在創立我的理論。佛洛伊德當時在一家麵包店。他想買麵包捲，可是卻怎麼也說不出這個詞。你大概知道，他是太害羞了，說不出『麵包捲』一詞。他指指點點地說：『我來點那種小點心。』麵包師傅說：『教授，你是要買麵包捲？』佛洛伊德一聽滿臉通紅，逃了出去，嘴裡嘟囔著：『呃，沒事，沒事。』我毫不費力地買了麵包捲，作為禮物送給佛洛伊德。我們成了好朋友。此後我一直想，有些人就是不好意思說出一些詞來。是否也有字詞讓你不好意思？」

我向亥姆霍茲博士解釋說，我在某些餐館無法點「龍蝦番茄」（即番茄內放龍蝦肉）這道菜。亥姆霍茲覺得這詞很蠢，真想搧造出這詞的那個人的臉。

談話又回到佛洛伊德。亥姆霍茲的每種思想似乎都受佛洛伊德的支配，雖然這兩個人因芹菜吵起來後，都恨對方。

「我記得佛洛伊德的一個病例，『埃德娜鼻子癱瘓』。在需要模仿兔子的時候，埃德娜偏偏無法做出那個動作，這使她見了朋友就心急如焚。這些人都很冷酷：『來吧，親愛的，給我們表演一下兔子吧。』說罷，他們都會隨心所欲地抽抽鼻子，相互之間很開心的樣子。」

「佛洛伊德把埃德娜叫到診所做了一系列分析。可是過程中出了差錯，她沒能移情到佛洛伊德身上，而是移到佛洛伊德屋裡一件高高的木製衣架上。佛洛伊德有點驚慌失措，因為在那時，人們對精神分析仍心存疑惑。當埃德娜抱著衣架上了一艘船後，佛洛伊德發誓再也不行醫。確確實實，他曾一度認真考慮過去當一名雜技演員。但費倫茨提醒說他從來就沒學會翻筋斗，才令佛洛伊德放棄了這個想法。」

說到此，我看亥姆霍茲有了睡意，從椅子上滑下來，鑽到桌子底下睡著了。我不想再打擾他，輕輕地走出來。

四月五日：到亥姆霍茲家，他正在練習小提琴。（他是個傑出的業餘小提琴手，但他不能讀樂譜，而且只能拉一個音符。）他又談起早期精神分析的一些問題。

「人人都奉承佛洛伊德。蘭克嫉妒瓊斯，瓊斯嫉妒布里爾，布里爾討厭阿德勒，甚至把阿德勒的禮帽藏起來。有一次，佛洛伊德口袋裝了些太妃糖，給了榮格一塊。蘭克火了，跟我抱怨說，佛洛伊德偏愛榮格，尤其是在分發糖果這方面。我沒理會，尤其不在乎蘭克，因為他最近說我的論文《蝸牛的欣喜》達到了『愚人思辨的頂峰』。」

「多年後蘭克和我在阿爾卑斯山開車時，又提起此事。我跟他說當時他真傻，他也承認因為他的名字『奧托』（Otto）前後顛倒都一個樣受到很大的壓力，這讓他委靡不振。」

亥姆霍茲請我吃飯。我們坐在一張大橡木桌邊，他說這是葛麗泰·嘉寶送給他的，雖然嘉寶不承認這件事，也不承認認識亥姆霍茲。亥姆霍茲典型的一餐包括：一枚大葡萄乾，大量肥肉，還有一罐鮭魚。飯後有薄荷糖；亥姆霍茲拿出了他收集的蝴蝶標本，等他弄明白這些蝴蝶已經不能飛了，就發起了脾氣。

之後，亥姆霍茲和我在客廳裡舒舒服服地抽了幾支雪茄。（亥姆霍茲忘了將雪茄點著，可他抽得很厲害，雪茄變得越來越短。）我們討論了大師幾個最成功的治癒病例。

「有個名叫亞克西姆的四十多歲男子，只要屋子裡擺著大提琴他就不能進屋。更麻煩的是，如果進了擺有大提琴的屋子，除非是名叫羅斯柴爾德的人叫他，否則他就不出來。此外，亞克西姆還有患口吃。但講話時沒事，只在寫作時才發作。比方說他寫『但是』一詞，紙上就出現『但、但、但、但是』。人們總拿這個毛病取笑他。為此他鑽到一大張煎餅裡，想憋死自己。我用催眠療法把他治好，他也過上了正常人的健康生活，雖然到了晚年，他經常幻想遇見了一匹馬，牠勸他做名建築設計師。」

亥姆霍茲談起了惡名昭張的強姦犯V，此人曾一度使整個倫敦陷入恐慌。

「這是最不尋常的變態案例。他時常性幻覺自己遭到一群人類學家的羞辱，被迫弓著腿走路；他承認這給他帶來極大的性快感。他記得小時候曾親吻西洋菜令放蕩的女管家吃驚，他覺得那有色情意味。少年時他因為在弟弟的頭上塗油而受到懲罰，但最令身為油漆匠的父親惱火的原因是，他只塗了一層油。」

「他十八歲時第一次攻擊女性，此後多年，每星期都強姦半打婦女。我所能給他的最佳治療是，把他的攻擊傾向換成一種社會較能接受的習慣。後來，當他遇見毫無防範的婦女時就不再襲擊對方，而是從衣服拿出一條大比目魚遞給她看。有些婦女見此會大為驚慌，但不會受到暴力之害；還有些婦女甚至坦誠地說，這樣的經歷大大豐富了她們的生活。」

四月十二日：這次，亥姆霍茲身體欠佳。此前一天，他在一片草地上迷了路，倒在一堆梨子上。他臥病在床，但當我告訴他我有個膿瘡時，他竟能起身大笑。

我們討論了他的逆反心理學理論，這是他在佛洛伊德去世後不久想到的。（厄內斯特．瓊斯認為，佛洛伊德的去世是造成亥姆霍茲與佛洛伊德最終絕交的原因，此後兩人極少交談。）

當時，亥姆霍茲發明了一個實驗，他一敲鈴，一隊白鼠就護送亥姆霍茲夫人出門，把她安置在人行道旁。他做了許多類似的行為實驗，直到一隻被訓練見到暗示就流口水的狗，在假期時不讓他進入屋子，他才停止實驗。正巧，他仍舊是《北美馴鹿無緣無故嬉笑》這篇經典論文的作者。

「是的，我創立了逆反心理學學院，實際上這是機緣巧合。當時我妻子和我都舒舒服服地躺在床上，我忽然想喝水。我懶得爬起來，就要夫人去拿水。她不願去，說她剝豆子剝累了。我們爭吵起來，都想讓對方去。最後我說：『我反正不想喝水，其實我最不想做的就是喝水。』

聽我這麼說，她站了起來，說道：『噢，你不想喝水啊？晚了。』說罷，她迅速下床，給我端來了水。我在柏林參加精神分析師郊遊時，試著與佛洛伊德討論這件事，但他和榮格參加了兩人三腳比賽，因為太專心比賽，沒能聽我講話。」

「多年後，我才找到應用這套法則治療憂鬱症的方式。我治好了歌劇歌唱家J的病態憂慮，否則他總有一天會整個人躲進洗衣籃。」

四月十八日：到亥姆霍茲家，發現他正在修剪玫瑰花。他喜歡花，對於花的美艷他讚不絕口：「花永遠不會借錢。」

我們談了當代精神分析。亥姆霍茲認為當代精神分析只是個神話，全賴躺椅行業的吹捧才使其得以苟延殘喘。

「這些現代分析師！他們收費太高了。在我那個時候，花五個馬克佛洛伊德就親自給你分析。花十個馬克，他不僅給你分析，還幫你燙褲子。花十五個馬克，佛洛伊德就讓你分析他，還送兩份蔬菜。現在，三十塊錢！五十塊錢！皇帝身為一國之首收入也不過十二塊半，而且他還要走路去上班！分析療程也長得嚇人！兩年！五年！過去我們要是在六個月內治不好病人，就得退錢，帶病人去看音樂劇，還得送他一個紅木水果碗，或一套不鏽鋼刀具。我記得總是能一眼認出榮格治不好的患者，因為榮格常送他們大熊貓娃娃。」

我們在花園小徑上漫步，亥姆霍茲轉到了其他話題。他說起話來真是妙語連珠，我拿筆記下了其中幾點。

關於人的存在：「如果人長生不死，你知道他買肉要花掉多少錢嗎？」

關於宗教：「我不信來世，不過我會準備一套換洗內衣以防萬一。」

關於文學：「所有文學都是《浮士德》的注腳。這是什麼意思我也不清楚。」

我確信，亥姆霍茲是個偉人。

瓦加斯萬歲！
Viva Vargas!

一位革命者的日記選摘

六月三日：瓦加斯萬歲！今天我們上山了。阿洛尤腐敗政權剝削我們這個小小的國家，令人怒火中燒，我們派遣胡立歐去遞交一份請願書。請願書絕非倉促擬就，而且在我看來，也毫不過分。可是結果阿洛尤日程繁忙，不願抽出時間一邊讓人搧著扇子，一邊會見我們可愛的反叛信使。他把此事交給一位部長處理。這位部長說他會充分考慮我們的請願，但首先要看看胡立歐在腦袋被埋在火山熔岩下後，還能笑多久。

正因為許多事情都如此令人憤慨，我們終於集結在埃米利奧·莫利納·瓦加斯鼓舞人心的領導下，決心自己掌握自己的命運。我們在街角呼喊，如果這是叛變，我們就叛變到底。

然而很不幸，當有人告訴我警察馬上要來抓我，把我吊死時，我正躺在浴盆的熱水裡。我十分敏捷地跳出浴盆，不小心踩上了一塊濕肥皂，一下子從前院衝了出去；好在靠牙齒止住了滑落，可是我的牙卻像小糖豆一樣，滿地亂滾。我赤身裸體，遍體鱗傷，但求生的本能告訴我必須迅速行動。我跨上駿馬，大喊一聲造反口號！沒想到駿馬騰立，把我摔到地上，斷了幾塊小骨頭。

好像這還不夠糟糕似的，我還沒跑出二十公尺就想起了我的印刷機。我不想把這樣重要的政治武器當證據留下來，急忙轉身取回。也許命該如此，這東西遠比看起來還重，體重一百一十磅重的大學生根本拿不動，非啟用一台起重機不可。警察抵達時，我的手正被轟轟作響的機器夾住，還在我後背上印出馬克思的大段文章。別問我是怎樣掙脫跳窗逃走的。我幸運地躲過警察，安然投奔瓦加斯的營地。

六月四日：山裡多麼寧靜啊。生活在滿天星斗的野外。一群犧牲奉獻的人朝著一個共同目標努力。雖然我期待能參與實際的戰鬥計劃，但瓦加斯認為我當伙夫會發揮更好的作用。因為食物短缺，這可不是件容易的工作，但總得有人做，而且如果把各種因素考慮在內，我做的第一頓飯還算受歡迎。的確，並非人人都喜歡毒蜥蜴，可我們不能挑嘴；除了一些傢伙對任何爬行動物都討厭之外，這頓飯吃得平安無事。

今天我無意中聽到瓦加斯說話。他對我們的前途相當樂觀，他覺得我們大約在十二月攻占首都。可是他的胞弟路易斯性情內向，認為我們遲早會餓死。瓦加斯兄弟時常因軍事戰略戰術吵嘴，很難想像僅在幾周之前，這兩位偉大的反叛首領還是本地希爾頓飯店男用洗手間的服務生。與此同時，我們都在等待。

六月十日：操練一整天。我們從一幫雜亂無章的游擊隊轉變成了一支鬥志旺盛的正規軍，真是個奇跡。今天早上我和赫爾南德斯練習使用大砍刀——那種砍甘蔗用的鋒利大刀。拜這位激情的夥伴所賜，我知道了我的血型是O型。等待是最難熬的。阿圖洛有把吉他，可是只會彈《可愛的塞林托》。一開始人們還喜歡聽，後來就沒人再要聽了。我試著用新的方法做毒蜥蜴，我想人們會喜歡的，可我也注意到有些人嚼得很辛苦，要使勁將脖子往後仰才能咽下去。

今天我又無意中聽到瓦加斯講話。他們兄弟倆在討論我們奪取首都之後的計劃。我想知道革命成功後他們會給我什麼職位。我很確信我像狗一樣忠心耿耿，必將獲得回報。

七月一日：今天我們最精銳的一隊人馬襲擊了一個村莊去尋找食物，正好有機會運用我們一直操練的各種戰術。大多數叛軍表現得盡職盡責，雖然這批人慘遭殺戮，但瓦加斯認為我們在精神上取得了勝利。沒有參加襲擊的人都留在營地裡，阿圖洛又給我們彈了《可愛的塞林托》。儘管彈盡糧絕，時間過得很慢，但士氣依舊高昂。幸好，（華氏）上百度的的高溫分散了眾人的注意力，我想這也是人們發出滑稽的汩汩聲響[19]的原因。我們的時機定將到來。

七月十日：今天大致是個好天，儘管我們遭到阿洛尤部隊伏擊，傷亡慘重。造成這次伏擊的部分原因在我，是我暴露了我方陣地；當時一隻毒毛蜘蛛爬上我的腿，我無意中尖叫起來，把基督教三個聖名都喊到

19 暗示人們熱得被溶解成液體。

了。這隻倔強的蜘蛛鑽到了我衣服裡面，有好一會兒，我就是趕不走牠，害得我全身狂亂扭動著，衝進一條小溪，在裡面撲騰了可能有四十五分鐘。接著，阿洛尤的部隊就朝我們開了火。我們勇敢戰鬥，不過因突然遭到襲擊，出現了小小的混亂。前十分鐘裡，我們自己人之間打成一團。一枚拉了弦的手榴彈落在瓦加斯腳下，他命令我撲上去，因為他覺得只有他能領導我們的事業。我撲了上去。瓦加斯僥倖躲過一難。但蒼天有眼，手榴彈沒爆炸，我安然無恙，只是全身略為抽搐，夜裡無法入眠，除非有人抓住我的手。

七月十五日：眾人的士氣似乎依舊高漲，儘管有一些小挫折。先是米蓋爾偷來一些地對地導彈，但錯當成地對空導彈；他想擊落阿洛尤部隊的飛機，卻把我們自己的卡車都炸毀了。當他想一笑了之時，何塞發怒了，兩個人打了起來。後來他們和好並一起開了小差。附帶一提，開小差有可能成為大問題，雖然樂觀情緒和集體精神發揮作用，使得每四個人中只有三個人開小差。當然，我仍然忠心耿耿做我的飯，可是人們好像並不感謝我這份艱巨的工作。事實上要是我不做點毒蜥蜴以外的伙食，性命堪虞。當兵有時真不講理。這幾天我或許會做點新花樣給他們一個驚喜。與此同時，我們坐在營地邊等待。瓦加斯在帳篷裡來回踱步，阿圖洛彈著他的《可愛的塞林托》。

八月一日：儘管許多事情令我們欣慰不已，但毫無疑問，叛軍總部出現了緊張氣氛。只有細心的人能發現，有些小事情顯示不安的情緒正在暗流湧動。比方說吵架越來越多，發生了幾起持刀捅人的事件。而且我們為了重新武裝自己，襲擊了軍火庫，但行動慘遭失敗，因為豪爾赫口袋裡的信號彈提前走火。所有的人都被追得四散，豪爾赫像顆球一樣在二十幾棟房子之間彈來彈去，最後被抓了起來。晚上回到營地我又拿出毒蜥蜴時，人們發火了。幾個人按住我，拉蒙用做飯的勺子敲我。幸好一陣響雷打來救了我，也奪取了三條人命。最後，人們的沮喪之感再也壓不住了，當阿圖洛彈起《可愛的塞林托》時，幾個音樂細胞不佳的人就把他推到一塊石頭後面，強迫他把吉他吃了下去。

不過也有好的一面。瓦加斯的外交使節歷經多次挫折，終於設法與中情局達成了一筆有趣的交易：我們永遠忠貞不渝執行他們的政策，他們則供應我們五十隻烤雞。

瓦加斯現在覺得，他預測十二月大功告成與許言之過早，他表示，要奪取最後勝利可能需要更長的時間。奇怪的是他不再看軍用地圖，而是改看星相和鳥的內臟。

八月十二日：局勢每況愈下。好像命該如此，我為了豐富伙食細心採摘的蘑菇偏偏有毒；唯一令人不安的副作用不過是是導致多數人輕微抽搐，但他們的憤怒似乎過了頭。此外，中情局重新評估了我們贏得革命的機率後，在邁阿密海灘的沃斐飯店為阿洛尤及其內閣舉行了一次餐會，以示和解。餐會後又贈送了二十四架噴氣轟炸機。瓦加斯對此的解釋是，中情局的立場出現了微妙的變化。

隊伍的士氣似乎仍依舊高昂。開小差的人多了，但也只限於那些能走路的。瓦加斯自己也顯得有點低沉，留了些繩索備用。現在他覺得阿洛尤統治下的生活可能還不太壞，因此考慮是否給留下的人重新指明方向，放棄革命理想，組成一支倫巴樂隊。同時，大雨傾盆，造成山崩，胡亞雷斯兄弟在睡夢中被沖下了峽谷。我們派出一人向阿洛尤遞送修改過的請願書。我們刪掉了要阿洛尤無條件投降的要求，改成要求得到一種獲獎的酪梨醬食譜。真不知結果會是如何。

八月十五日：我們攻占了首都！簡直難以置信，詳情如下：

經過深入討論之後，我們進行表決，決定開展一次自殺式攻擊做最後一搏。我們猜想，出其不意的襲擊或許會抵消阿洛尤部隊的優勢。我們穿越叢林向宮殿進軍，但飢餓和疲勞漸漸削弱了我們的決心，快要接近目的地時，我們決定改變戰術，看卑躬屈膝能否奏效。我們前去自首，宮殿衛兵用槍把我們押送到阿洛尤面前。這個獨裁者考慮到我們是自行投降，應該罪減一等，他打算把瓦加斯開膛破肚，其他人則僅是活生生剝皮。得知這一新情況我們都慌了，四散逃命。宮廷衛兵開槍射擊。瓦加斯和我衝到樓上尋找藏身之處，卻闖進阿洛尤夫人的閨房，撞見她與阿洛尤弟弟在偷情。兩個人慌亂起來，阿洛尤弟弟拔出手槍開了一槍。他哪裡知道，這一槍等於向中情局的傭兵發出信號，他們本來是要來幫助阿洛尤到山裡消滅我們，以換取阿洛尤開放美國在此開設柳丁果汁攤的權利。可是因美國外交政策搖擺不定，這些傭兵自己先糊塗了，不知該效忠何方，混亂中攻擊了宮殿。阿洛尤及其手下懷疑中情局在搞兩面手法，便轉而跟入侵者幹上了。與此同時，若干毛派分子一直醞釀刺殺阿洛尤，但他們藏在玉米餡餅中的炸彈提前爆炸，使整個計劃泡湯；不過炸彈炸毀了宮殿的左翼，把阿洛尤夫人和弟弟從木梁中間炸了出去。

阿洛尤抓起裝滿瑞士銀行存摺的旅行箱逃出後門，登上時刻待命的小型噴氣機。飛行員在密集的彈雨中強行起飛，但因局勢混亂，慌了手腳，扳錯了機關，致使飛機一頭俯衝栽進傭兵營地，消滅了不少人，迫使他們投降。

我們敬愛的領袖執行了一項靜觀等待的英明政策，始終一動不動縮在壁爐裡，裝成一尊黑人土著塑像。待一切危險已過，他只打開宮殿冰箱勉強做了一個辣味火腿三明治，便躡手躡腳地走進最高辦公室，開始執掌權力。

我們徹夜狂歡，人人喝得爛醉。我跟瓦加斯談了治理國家這等正經事。他相信自由選舉是任何民主國家所必需的，但要等人民受教育程度提高些再實施。在此之前，他依照君權神授的原則臨時湊成一套可行的政府制度。為獎勵我的忠誠可靠，特允許我在進餐時坐在他的右側。另外，我還負責把廁所打掃得乾乾淨淨。

仿冒墨跡的發明與功用

The Discovery and Use of the Fake Ink Blot

沒有證據表明，一九二一年之前西方任何地方出現過仿冒墨跡。不過人們都知道，拿破崙特別喜歡玩歡樂蜂鳴器。這是一種隱藏在手掌上的裝置，在握手時引發觸電似的震動。拿破崙常向外國貴賓伸出尊貴的手表示盛情，震顫了無數受害者的手掌，上當者滿臉通紅地跳起，引起全宮廷歡樂不已，逗得皇帝發出洪量的笑聲。

歡樂蜂鳴器後來經過了多次改動，其中最著名的要數聖安納[20]製作的口香糖（我相信，口香糖起先是他夫人的一道菜，但卻怎麼也咽不下去），他將小巧的捕鼠夾包裝成薄荷口香糖。哪個傻瓜要是接過口香糖，可憐的手指頭就會被彈起的鐵條夾住。最初的反應是疼，繼而是大笑不止，最後還得出了一點民間智慧。誰都知道在阿拉莫[21]，清爽的口香糖使氣氛輕鬆許多；雖然無人倖存，但大多數觀察家覺得，若沒有這個小玩意兒情形會更加不可收拾。

內戰爆發後，美國人越來越想躲避恐怖的戰亂。於是北方將軍迷上用漏水的水杯來惡搞，而羅伯特·李將軍在緊張關頭則偏好用暗藏了水的花來取樂。戰事初期，誰要是聞了李將軍衣領上「可愛的康乃馨」，眼裡都會被滿滿地噴上薩旺尼河的水。不過隨著南方的戰局急轉直下，李將軍放棄了這曾經風靡一時的玩意兒，只有在厭煩某人時，在其椅子上放個釘子而已。

戰爭結束直至二十世紀初，所謂的強盜貴族時代，逗樂的拿手好戲有：令人打噴嚏的辣椒粉，還有標著杏仁、但從中卻彈出好幾條大彈簧、讓人一驚的小鐵罐。據說摩根喜歡辣椒粉，老洛克菲勒更偏好小鐵罐。

到了一九二一年，一組生物學家在香港採買服裝時，發現了仿冒水墨畫。很久以來這一直是東方人的主要消遣。後來幾代王朝之所以能維繫權力，靠的就是技藝嫻熟地把墨跡弄得像污漬，而實際上則是水墨畫。

據瞭解，首批水墨畫很粗糙，幅寬有十幾尺，誰也沒能騙過。然而，一位瑞士物理學家發現了物體縮小的理論，那就是一個特定大小的物體，可以通過「使其變小」而縮小其體積，於是仿冒水墨畫的技術日臻成熟。

仿冒墨跡一直有其自身地位，直至一九三四年，富蘭克林・羅斯福

20 聖安納（Santa Anna，1794-1876）：十九世紀墨西哥總統和將領，在「美墨戰爭」期間曾領軍對抗美國。

21 阿拉莫（Alamo）：十九世紀的要塞。美墨戰爭時遭墨西哥圍攻，守軍全數陣亡。

將其略加改動，發揮了另類作用。羅斯福很精明地用它調解了賓夕法尼亞州的一次罷工。方法很有趣很有趣，他讓勞資雙方的領袖以為自己打翻墨水瓶，弄髒了昂貴的扶手沙發而尷尬不已。想像一下，當他們得知這只是個玩笑時，該有多如釋重負。三天後，鋼鐵廠全部復工。

大人物先生

Mr. Big

我坐在辦公室清理我的點三八手槍，正愁下一個案子要上哪去找。我喜歡做私人偵探，雖然曾經被人用千斤頂按摩牙床，不過鈔票的美味令這一切都值得。更何況還有美女呢，這是我的小小愛好，比呼吸略勝一籌。所以當辦公室門一開，一位叫海樂·巴特克斯的金髮女郎大步跨入，說她是裸體模特兒，要我幫忙時，我的唾腺分泌量瞬間調到第三級。她穿著短裙和緊身毛衣，顯出凹凸有致的身材，簡直能讓一頭氂牛爆發心肌梗塞。

「親愛的，我能為妳效勞嗎？」

「我要你幫忙找一個人。」

「有人失蹤？報警了嗎？」

「倒也不是，盧波維茨先生。」

「叫我凱撒，親愛的。好吧，要找什麼人？」

「上帝。」

「上帝？」

「對，上帝。那個造物主，創造者，萬物之主，全知全能。我要你幫我找到他。」

以往我的辦公室也來過不少水果蛋糕，但是像她這等身材的，你必須洗耳恭聽。

「為什麼？」

「你別管為什麼，凱撒。你只管找到他。」

「抱歉，親愛的，妳找錯人了。」

「怎麼會？」

「除非妳讓我瞭解所有的事實。」我說著，站了起來。

「好吧，好吧。」她咬了咬下嘴唇說道。她拉直絲襪的皺褶好讓我一飽眼福。可是目前我並不打算買賬。

「妳就實話實說吧，親愛的。」

「呃，實情是，我不是裸體模特兒。」

「是嗎？」

「不是。我也不叫海樂・巴特克斯。我叫克萊兒・羅森維格，在瓦薩學院上學，主修哲學，修一些西方思想史之類的課程。我有份論文要在一月交。班上其他學生到時都會湊上一份論文，**可是我想知道**。格雷巴尼教授說誰要是找到真知，誰就肯定通過這堂課。我爸爸也答應說要是都得到Ａ，就送我一輛賓士。」

我打開一盒幸運牌香菸，叼上；又打開一包口香糖，嚼上。她的故事有點吸引我。私立學校受寵的學生，智商高，身材好，讓我特想深入瞭解。

「上帝長什麼樣？」

「從來沒見過。」

「那妳怎麼知道他存在呢？」

「所以要你找出答案。」

「噢，太棒了。妳不知道他長什麼樣？上哪去找？」

「不知道。我懷疑他無處不在。在空氣中，在每一朵花中，在你，在我，在這椅子中。」

「呃，噢。」原來她是個泛神論者。我在腦子裡記了下來，告訴她我會試一試。每天收費一百元，外帶其他費用，再加一次共進晚餐。她笑了笑，表示同意。我們一起乘電梯下樓。外面天色已晚。上帝或許存在，或許不存在，但這座城市裡，肯定有不少人要阻止我去找到答案。

我找的第一條線索是一個猶太教堂的拉比，叫賢人伊扎克。我曾替他找到在他帽子上塗豬油的肇事者，所以他欠我點人情。我跟他一提，就知道大事不好，因為他顯得很害怕，怕極了。

「你說的當然存在，但是我不能直呼其名，否則他會讓我死的。我真的不懂為什麼有人對直呼其名那麼挑剔。」

「你從沒見過他？」

「我？你開玩笑？我能抱到我的孫子都算走運了。」

「那你怎麼知道他存在呢？」

「我怎麼知道？這是什麼問題？要是那邊沒有人，我怎能用十八塊錢就買到這套衣服？看看這裡，摸摸這華達呢[22]。你怎麼會懷疑呢？」

「你再也沒有別的證據了？」

22 華達呢（gabardine）：猶太人穿的寬鬆長袍。

「嘿，那《舊約》是什麼？碎肝臟[23]？你以為摩西是怎麼帶領以色列人出埃及？就笑一笑，跳個舞？信我吧，雜貨店的破爛玩意兒可分不開紅海。這需要力量。」

「就是說他很強悍囉？」

「對，非常強悍。你該不會認為他之所以這麼成功，靠的是平易近人？」

「你怎麼知道得這麼多？」

「因為我們是他的選民。他最照顧我們這些子民，總有一天我也想跟他討論一番。」

「作為選民，你要給他什麼？」

「別問。」

情況就是這樣了。猶太人把命運交給了上帝。這是一種古老的保護行業。罩著他們，收筆回報。從賢人伊扎克談話的樣子看，他的回報抽得可不輕。我招了一輛計程車來到第十大道上的「丹尼撞球館」。經理是個不討人喜歡的瘦小傢伙。

「芝加哥・菲爾在嗎？」

「誰知道呢？」

我一把抓住他的衣領，順帶摳下一塊皮來。

「說什麼，你這個廢物？」

「在後面，」他立刻改變態度應道。

芝加哥・菲爾：行騙、搶銀行、喜愛暴力，還是個無神論者。

「這個人從來就不存在，凱撒。這完全是大騙局，是場大炒作。根本沒有什麼大人物先生。這是個國際組織，大多數是西西里來的，但沒有一個實際的頭目。除了教皇。」

23 碎肝臟（chopped liver）：美國猶太人的俚語，形容微不足道的事物。

「我想見教皇。」

「可以安排，」他說，朝我眨眨眼。

「克萊兒．羅森維格這個名字熟悉嗎？」

「不熟。」

「海樂．巴特克斯呢？」

「噢，等一下，對了。就是那個乳房豐滿、白淨嫵媚，來自拉德克利夫學院的女孩。」

「拉德克利夫學院？她跟我說是瓦薩學院的。」

「那是她騙你的。她是拉德克利夫學院的教授，跟某個哲學家搞在一起好一陣子。」

「是個泛神論者？」

「不是。據我所知是經驗論者。不是什麼好人。完全拋棄了黑格爾和那些辯證法。」

「原來是那種人。」

「對。他以前是爵士三重奏的鼓手，後來迷上了邏輯實證論。不奏效後，他就嘗試實用主義。上次我聽說他偷了一大筆錢到哥倫比亞大學攻讀叔本華。黑手黨在找他——或是找到他的課本拿去賣掉。」

「謝了，菲爾。」

「聽我的吧，凱撒。天外什麼也沒有，一片虛空。我要是看出一丁點真正全能的存在，就不會幹這些偷拐搶騙的勾當了。整個宇宙只不過是種現象，沒有永恆。一切毫無意義。」

「阿奎達特賽馬場的第五輪誰贏了？」

「聖塔寶貝。」

我在奧盧客酒吧喝了杯啤酒，想釐清這一切，可是根本沒有個頭緒。蘇格拉底自殺了——人們這麼說。基督被人殺死了。尼采瘋了。要是天外有靈，他肯定也不想讓任何人知道。克萊兒・羅森維格為何謊稱自己是瓦薩學院的？難道笛卡兒說對了，宇宙是二元的嗎？還是康德在道德的基礎上假定上帝的存在一語中的？

那天晚上，我與克萊兒共進晚餐。結賬後十分鐘我們就上了床，老兒，你自己去研究西方思想吧。她的高難度動作真可以贏得體操冠軍了。事後她躺在我身邊，長長的金髮散在床上。我倆赤裸的身體仍纏繞在一起。我抽著菸，盯著天花板。

「克萊兒，要是齊克果對了怎麼辦？」

「你是說？」

「假如你永遠無法**知道**。你就只能信仰。」

「荒唐。」

「別這麼理性。」

「沒人理性，凱撒。」她點了一支菸。「別搞什麼實體論。現在不行。我受不了你跟我來實體論。」

她不高興了。我湊過去親她一下。電話響了，她拿起話筒。

「是找你的。」

電話裡傳來凶殺科瑞德警長的聲音。

「你還在找上帝？」

「是。」

「那個全知全能的宇宙創造者、萬物之主？」

「對。」

「有個人正好符合這些特點，現在停屍房。你最好馬上就來。」

確實是他。從他的樣子看來，是職業殺手幹的。

「送來時就已經死了。」

「在哪裡發現的？」

「德蘭西街上的一座倉庫。」

「有線索嗎？」

「是個存在主義者幹的。這點我們可以肯定。」

「你怎麼看出來？」

「方式隨意。沒有遵循任何系統。一時衝動。」

「出於激憤？」

「對。這也意味著你也有嫌疑，凱撒。」

「怎麼是我？」

「總局裡都知道你對雅斯佩斯[24]的看法。」

「那也不能說明我就是殺人犯。」

「的確不能肯定，只是說你有這個嫌疑。」

走到街上，我猛吸了一口空氣想清醒一下。我叫輛計程車到紐瓦克，下車走過一個街口，進了喬迪諾義大利餐館。教皇正坐在裡面的一張桌子旁。和他同桌的兩人我曾在警察局的一夥涉嫌人中見過。

「坐吧，」他從他的寬麵條抬頭看我，伸出戒指。我對他露齒而笑，但沒去吻他的手。他有點惱怒，我很高興贏了一分。

「你想來點麵條嗎？」

「不了，謝謝陛下[25]。你繼續吃吧。」

「什麼也不要？連沙拉也不要？」

「我剛吃了。」

「請隨便。他們做的乳酪沙拉可好吃了。不像在梵蒂岡，連頓像樣的餐點也吃不到。」

「我開門見山了，教宗。我在尋找上帝。」

「你找對了人。」

「這麼說，上帝是存在的？」

24 雅斯佩斯（Karl Jaspers，1883-1969），德國存在主義哲學家。

25 陛下（Holiness）：教皇專有的尊稱。

他們都覺得十分逗趣，笑了起來。坐我身邊的那個無賴說：「噢，真有意思。聰明仔想知道上帝是不是存在。」

我挪了挪椅子，把一條椅腳壓到他的小腳趾上。「抱歉。」但他已經怒火中燒了。

「上帝當然存在，盧波維茨。可只有我能與他交流。他只通過我來講話。」

「為何是你，老兄？」

「因為我有紅袍子。」

「這身行頭？」

「別這麼挑剔。每天早上我起來穿上這套紅袍子，我就會成了要人。全都在這身袍子。我是說，要是我穿一身運動服走來走去，我可不能以宗教信念逮補人。」

「那麼這是場騙局囉。根本就沒有上帝。」

「我不知道。但這又有什麼區別呢？錢總是好的。」

「你不擔心洗衣店沒有及時送還你的紅衣，讓你穿得跟常人沒有兩樣？」

「我用的是當天交件的特殊服務。多花點錢，多一分保險。」

「你熟悉克萊兒．羅森維格這個名字嗎？」

「當然。她在布恩茂女子文學院理科系教書。」

「理科？是嗎？謝謝。」

「謝什麼？」

「謝謝你的回答。教宗。」我急忙攔了一輛計程車衝上華盛頓大橋。我在途中去了趟辦公室，很快查了一下資料。在去克萊兒家的路上我把各種線索串了起來，結果這些線索頭一次這麼吻合。當我抵達時，她穿著透明的浴衣，顯得有些不安。

「上帝死了。警察剛來過。他們在找你。他們認為是存在主義者幹的。」

「不是，親愛的。是妳。」

「什麼？凱撒，別開玩笑。」

「是妳殺的。」

「你說什麼？」

「是妳，寶貝。不是海樂・巴特克斯，也不是克萊兒・羅森維格。是艾倫・舍德博士。」

「你怎麼知道我的名字？」

「布恩茂女子文學院物理系教授，最年輕的系主任。在冬季舞會上妳與一個爵士樂手纏上了，這個樂手瘋狂沈迷於哲學。他已經結婚，但這擋不住妳。纏綿了幾個晚上後就以為有了愛情。但是沒有結果，因為你們兩人之間隔著一層障礙——上帝。妳很清楚，親愛的，他信上帝，或想要信上帝；可是妳滿腦子科學，非要有絕對的證據不可。」

「不對，凱撒。我發誓。」

「所以妳假裝研究哲學，因為這樣就有機會排除障礙。妳很輕鬆地把蘇格拉底打發了。但笛卡兒又來了。你用史賓諾沙趕走了笛卡兒。可是妳過不了康德，所以也得除掉。」

「你不知道你在說什麼。」

「妳把萊布尼茨做成碎肉，可是這還不夠，因為妳知道若是有人相信帕斯卡，妳就完了。於是也要把帕斯卡處理掉。就在這個節骨眼妳犯了個錯誤，妳相信馬丁·布伯。可是親愛的，有一點妳沒想到。他態度軟化，信奉了上帝。所以妳得親自幹掉上帝。」

「凱撒，你瘋了！」

「沒有，寶貝。妳佯裝泛神論者以便接近他——如果他存在的話。而他的確存在。他跟妳去了謝爾比的派對，妳趁傑森沒注意，就殺了他。」

「那個鬼謝爾比和傑森是誰？」

「這有什麼區別？反正生活充滿荒唐。」

「凱撒，」她忽然有些發抖，說，「你不會舉報我吧？」

「我會的，寶貝。最高的存在被殺掉了，總得有人承擔責任。」

「噢，凱撒。我們可以一起消失，就我們倆。我們可以忘掉哲學，找個地方安頓下來，或許研究語義學。」

「抱歉，親愛的。不可能。」

聽了這話，她哭成個淚人兒，開始寬衣解帶。突然間我面前站著一個裸體的維納斯，那整個身子好像都在說：「來吧，我是你的。」維納斯的右手撫弄著我的頭髮，左手在我身後拿起一把點四五手槍。沒等她動手，我扳動了我的點三八，她的槍掉在地上，難以置信地倒下。

「凱撒，你怎麼忍心？」

她快不行了，我抓緊時間念給她聽。

「作為一個複雜概念的宇宙的表象，相對於在真實存在之內或之外，與任何現存或即將存在或永恆存在的抽象形式相應，不受有關非物質或無客觀存在或主觀相異的物理性或運動或思想法則規範，本身便是一種理論上的虛無或虛無性。」

這是一個很難捉摸的概念，不過我想，她死前是聽懂了。

推薦文

一切從一個笑話開始

張碩修（卡米地喜劇俱樂部創辦人）

「人生像是一場遊戲，充滿了意外，然而這些看似隨機的意外，其實卻都是命中註定，因為宿命來自於性格，而性格則決定了一切。這樣看起來，人生很沒救了吧！但那又有什麼關係，就一笑置之吧！」

這是我整理出來的伍迪・艾倫之核心哲學，至少我是這麼認為的，簡單來說，就是「把人生當作一個大玩笑吧」！

現年已經超過八十歲的伍迪，事業的起點就是笑話。他從十五歲開始便以寫笑話維生，在二十五歲到三十五歲的期間，脫口秀喜劇演員成為他主要的身份，同時也大量編寫許多電視材料和舞台劇本，這些段子、故事與創作便成為他出版物的大宗。

跟伍迪同輩，但現在還活躍著的美國脫口秀喜劇演員，大概只剩天才老爹Bill Cosby了，他們跟同輩（已故）的George Carlin、Richard Pryor，一同型塑了當代的美式脫口秀，也讓脫口秀這種極度自由與大膽的形式，成為喜劇的重要主流。對卡米地而言，這些人不但是始祖人物，更是仿效的最佳對象，但之前市面上伍迪・艾倫的出版品大多是簡體的譯本，品質參差不齊，這次其文集得以再次被整理出版，對喜劇界而言真是一大福音。

當然後來我們主要認識的伍迪，是透過電影，在一九七〇年代，他已經成為國際級的喜劇編劇導演了。但是他的脫口秀表演經歷大大的影響了他，脫口秀是一種「第一人稱」式的演出，演員會直接與觀眾對話，但是這方法在電影的虛構又隔離的時空裡，怎麼可能實現，但伍迪就是辦到了。他在一九七七年的經典電影《安妮霍爾》（Annie Hall）

裡，就不時讓主角，也就是他自己扮演的艾維，跳出劇情直接對螢幕前的觀眾對話，然後若無其事的再回到劇情，這就是十足的脫口秀手法。安妮霍爾的故事非常簡單，一如大多數伍迪的作品一樣，但是人物是世界觀、編導手法，卻讓這些平凡的人物，充滿了伍迪的紐約式魅力。我們可以說，紐約給了伍迪生命，但伍迪卻定義了紐約。

伍迪的作品是高度都會的、犬儒的，充滿了中產階級的男女迷戀、偷雞摸狗與可笑的人性。他的人物常常都是單面向的簡單性格，但是當每個單面的角色加起來，就是一場複雜的人性遊戲了。

超過六十年的喜劇生涯，讓伍迪．艾倫成為當代的喜劇代表，也是個活化石，讓我們看到時代的演化，從當年的先鋒人物，到今天的經典者老，他每個腳步都值得玩味。

在螢幕上，我們看到的伍迪是神經質、猥瑣、有些強迫症與懦弱的形象，但據說與他本人有很大的差異，這是某種形象與現實間的分裂人格吧？但對我而言，那應該都是伍迪，一個複雜、細膩又多面相的創作人與喜劇大師。

木馬文學

扯平
GETTING EVEN

作者　伍迪・艾倫（Woody Allen）
譯者　李伯宏
總編輯　陳郁馨
主編　黃少璋
校對　魏秋綢
封面設計　白日設計
排版　極翔企業有限公司

社長　郭重興
發行人兼出版總監　曾大福
出版　木馬文化事業股份有限公司
發行　遠足文化事業股份有限公司
地址　231新北市新店區民權路108之4號8樓
電話　02-2218-1417　傳真　02-2218-1142
email: service@bookrep.com.tw
郵撥帳號　19588272 木馬文化事業股份有限公司
客服專線　0800221029
法律顧問　華洋國際專利商標事務所 蘇文生 律師
印刷　成陽印刷股份有限公司
初版　2017年1月
定價　新臺幣200元

ISBN 978-986-359-350-8（平裝）

國家圖書館出版品預行編目(CIP)資料

扯平 / 伍迪・艾倫（Woody Allen）著；李伯宏譯. -- 初版. -- 新北市：木馬文化出版：遠足文化發行, 2017.01
面；　公分
譯自：Getting even
ISBN 978-986-359-350-8（平裝）

874.6　　105024445

本書中譯本由上海譯文出版社授權